新潮文庫

血の味

沢木耕太郎著

新潮社版

7100

血の味

第一章

中学三年の冬、私は人を殺した。ナイフで胸を一突きしたのだ。ナイフはBONEというアメリカ製のもので、刃渡りは八・七センチだった。私がそんな半端《はんぱ》な数字をいまでも覚えているのは、逮捕されてから審判にいたる過程で、警察や検察の取調官ばかりでなく、家庭裁判所の調査官の口からも何度となく出てきたからだ。とりわけ、私に付添人としてついてくれることになった初老の弁護士が、センチをサンチと発音するため、しばらくはその「八サンチ七ミリ」という言葉が耳について離れなかった。刃渡り「八サンチ七ミリ」のナイフは、二つに折るとすっぽり手に隠れてしまうほど小さかった。そんなナイフで人の命を奪えるとは、実際に自分が刺してしまうまでわからなかった。

警察の留置場から鑑別所にまわされたあげく少年院に送られることになった。鑑別所にいるあいだはよく刺した瞬間のことを思い出した。少年院に入ってからも、ナイフで胸を刺したときの感触がまだ手のひらに残っていた。いくら石鹸《せっけん》で洗っても手のひらについた血の脂《あぶら》が残っているような気がしてならなかったのだ。しかし、少年院を出るころには、無意識に手のひらをズボンにこすりつけているというようなことはなくなっていた。それとともに、夜中に涙を流す夢を見ることもなくなった。

私は幼いころから泣いた記憶がほとんどない。それは現在にいたるまで変わらないが、少年院に入ってからはときおり涙を流している夢を見るようになった。その夢の中で、私はいつも砂漠にいる。砂漠といっても一面にさらさらとした砂が広がる砂漠ではなく、赤ん坊の頭ほどの大きさの石がゴロゴロしている荒れ野だ。私の足元には大きな穴があいており、その横にはうずたかく積まれた土くれがある。それが死体を埋葬するために掘られた穴だということはわかっているのだが、私のまわりのどこにも死体が見当たらない。風に土埃《つちぼこり》が舞う中、私はその穴の前に立ち尽くし、涙を流している。何が悲しいのか自分にもわからないまま、大きく眼を見開いて、ただ涙を流しているのだ。あるいは、眠りながら実際に涙を流していたこともあったかもしれない。朝起きたときに、眼が腫《は》れぼったく感じることが何度となくあったからだ。

少年院には、民間から一種のボランティアとして篤志《とくし》面接委員という人たちが来ていた。私が定期的に会うことになったのは街の文具店の経営者だった。努力をすれば道は開けるという強固な信念を持っているその篤志面接委員は、またおせっかいなほど親切な人でもあった。少年院を出た私は、その篤志面接委員の世話で、彼の息子の会計事務所に雇ってもらえることになった。のちに聞かされたところによれば、そんなことが可能になったのも、私が少年院でよく本を読んでいたからであったらしい。少年院では、中学時代の経歴を知っている教官が私にスポーツをさせたがった。しかし、私は義務としての運動以外は決してやろうとしなかった。自由時間には本を読んでいた。手に取ったのは他愛《たわい》ない娯楽小説ばかりだったが、それでも私を他の非行少年とは違うと錯覚させるくらいの意味はあったらしい。その話を教官から聞かされていた篤志面接委員は、更生保護施設に入らざるをえなかった私の身元引受人になってくれただけでなく、自分の息子にその会計事務所で使ってみてくれないかと頼んでくれたのだ。最初に引き合わされたとき、まだ三十を過ぎたばかりだったその息子の税理士は、私のどこを見込んだのか一種の雑用係として雇ってくれた。無口なところがいいと思ったのかもしれない。会計事務所にただひとりいる事務員は、電卓のキーを叩《たた》きながら、のべつしゃべりかけてくるような中年女性だった。

しかし、その会計事務所は居心地のよいところだった。篤志面接委員の息子の税理士も、おしゃべりな中年の女性事務員も、私に対してさりげない心づかいを示してくれた。私が少年院出だということにまったく触れないというのではなく、時には中年の女性事務員がお茶を入れながら、少年院ではいつお茶を飲むの、などと訊《き》くことがあった。私は食事のときだけですと答えながら、別に不快に思うことはなかった。彼女が素朴な疑問から訊いているのがよくわかっていたし、そうしたことを口にするのも、事務所に私たち三人しかいないときに限られていたからだ。それはまた、多少うっとうしくはあったが親愛の情のあらわれと感じられないこともなかった。ただし、その彼女に、私の犯した罪が殺人だというまでの知識があったかどうかはわからない。

私は事務所と顧客と税務署とのあいだの使い走りから、やがて会計事務の手伝いもさせられるようになった。入って二年後には大学入学資格検定試験を受けて合格し、その翌年には国立大学の経営学部の二部に入ることができた。大学在学中に税理士試験の大半の科目に合格しており、卒業の年には税理士の資格を取っていた。さらにその翌年には公認会計士の二次試験にも合格した。

少年院を出てから公認会計士の二次試験に合格するまでの九年間は、常に試験勉強に追いまくられる日々だったといってもよい。その間、あのときのことはほとんど思い出さなかった。時として思い出しかかることはあったが、意志の力で押し止どめることができた。私にとってそれは、すでにシャックリを止めるのと大差ない簡単なことになっていたのだ。記憶が甦《よみがえ》りそうになると、大きく息を吸ってから息を止め、前方の一点を見つめる。外にいるときなら街路樹の木の梢《こずえ》でもいいし、部屋の中なら目覚まし時計の秒針でもいい。それらをしばらくじっと見つめていると、シャックリがおさまるようにしだいに思い出す危険が薄らいでいくのだ。私は、少年院での二年の歳月を代償に、殺人の記憶を封じ込めることができるようになったのだ、と思っていた。

だが、記憶というものはそれほど柔順なものではなかった。公認会計士の正式な資格を得て少し時間に余裕ができるようになると、思いもかけない瞬間にあのときのことが甦ってきて私を狼狽《ろうばい》させるようになった。

最初は、公認会計士になって一年もたっていないころだったと思う。その日は日曜だった。私はまだ独身で、日曜といえば、自分ひとりのために好きなように時間を使うことができた時代だった。私は昼過ぎに起き、パジャマのままその日はじめての食事を済ませると、またベッドに横になってミステリーを読み出した。BGM代わりにつけていたテレビが、プロ野球のデー・ゲームをやっていたから、季節は春先だったかもしれない。

読んでいたのはスパイ物だった。ようやく手に入れた「東」の極秘文書を持ったままなぜか姿をくらましてしまった同僚を追い、主人公であるCIAのエージェントがフランス、スペイン、メキシコへと飛ぶ。やがて同僚の潜伏場所を突き止めた主人公が、メキシコの地方都市の闘牛場で最後の対面をする。同僚は、巡業のためスペインからメキシコへと渡ってきた闘牛士たちの一行にまぎれて移動していたのだ。「東」の極秘文書はどこにあると詰問《きつもん》する主人公に対して、その同僚は不意に闘牛の話を始める。そして、こう言うのだ。

「マタドールが牛にとどめを刺そうとするとき、マタドールの剣は牛の首にスルスルと入っていく。スルスルとね。それは実際、溶けたバターを突き刺すより簡単だという。しかし、それが可能なのはたった一点なんだそうだ。骨と骨の隙間《すきま》のある一点。その一点に入った剣はスルスルと心臓に達し、牛を一撃で倒すことができるが、それ以外のところでは骨に弾《はじ》き返され、逆にマタドールの方が牛の角に引っかけられてしまうことになる……」

私はそこまで読み進めたとき、不意に自分の右手にスルスルと肉に入っていってしまう刃物の感覚が甦ってきて、思わずその本を胸に取り落としてしまった。つい手のひらをパジャマでぬぐおうとしてしまったのだ。落ちた本の角が肋骨《ろっこつ》に当たり、コツンと乾いた音を立てた。

「痛い！」

痛い。私は声に出して言い、次の瞬間、なぜあのように小さいナイフで人を殺せてしまったかの理由がわかったような気がした。私のナイフは、偶然、骨と骨とのあいだの、そこしかないという一点に突き刺さり、心臓に達してしまったのだ。確かに、そこもまた溶けたバターのように柔らかかった。ナイフは柄《え》を握った私の手ぎりぎりまで食い込んでいた……。

二度目に私がそのときのことを思い出したのも日曜日だった。そして、それもやはりひとりの日曜日だった。すでに結婚はしていたが、妻が幼い娘を連れて実家に泊まりにいった翌朝だったのだ。

ひとりでコーヒーを入れ、トーストを焼いていると、部屋の外でエレベーターの非常ベルが鳴っている。また、マンションの子供たちのいたずらだろうと思って放っておくと、いったん切れたベルがまた鳴り出した。何かトラブルが起きたのかもしれない。私は面倒に思いながら生《なま》焼けのトーストをオーブン・トースターから取り出し、エレベーター・ホールに向かった。すでにそこには数人の住人が出ていて、話をしている。どうやら、エレベーターが階と階の途中で停まってしまったらしい。中に誰かが入っているらしく、大声で呼ぶと子供の声が返ってきたという。マンションの管理人に知らせればいいのだが、通いのため日曜はいない。そこで管理組合の理事長を呼び出し、エレベーターの保守管理会社に連絡をとってもらうことになった。結局、中に閉じ込められた子供が救出されるのに一時間余りもかかったが、私もすべてが終わるまで付き合うことになり、部屋に戻ったときにはコーヒーはすっかり冷めていた。ポットで温め直し、新しいパンをオーブン・トースターに入れた。トーストが焼け、バターナイフで固いバターを削り取ろうと突き刺したとたん、それはすっと入ってガラスのバターケースの底にカツンと当たった。バターがすっかり柔らかくなっていたのだ。その瞬間、私はまたあのときのことを思い出していた。

そして、三度目が今日だった。

私は平日の午後の電車に乗っていた。

それまで地下を走っていた電車が地上に出た。明るくなった前方に眼をやると、高架のプラットフォームの向こうに広い河原と傾きかけた赤い夕陽が見えてきた。その瞬間、私の体の中に不意に甦るものがあった。それは単にナイフを突き刺したときの手のひらの感覚だけではなかった。ミステリーを読んでいたときも、溶けたバターにバタ一ナイフを突き刺したときも、手のひらの感覚以外は甦らなかった。あの出来事のすべてを思い出すことを自分に許さず、実際に意志の力で記憶が甦るのを押し止めることができた。だが、今日は違っていた。私はとめどなく思い出すことを始めてしまったのだ。

それはなぜだったのか。季節があのときと同じ冬だったということもある。かつて私が住んでいたのがそこに流れている河の何キロか下流の地域だったということもあったかもしれない。だが、それは単なる切っ掛けにすぎなかった。冷たく静かだった記憶の井戸の水面を波立たせ、沸点にまで温度を高めてしまったのは、その少し前まで私の車輛《しやりよう》にいた中年の男の眼だった。

私が平日の午後の電車に乗るのは久しぶりのことだった。家はその沿線にあったが、会計事務所へ行くには車を使っていたので、通勤のため電車に乗ることはあまりなかった。それでも、出張の際や酒の付き合いで車を置いてきてしまったときなどには電車を使わざるをえなかったが、さすがに平日の午後に乗るなどということはほとんどなかった。

平日の午後の客は、車内で座席に腰を下ろしている客も、ドアの近くで立っている客も、一日の始まりと終わりという気配を濃厚に漂わせている朝や晩の客とはどこか違っていた。学校帰りの学生と買物帰りの主婦を除けば、そこには始まりと終わりがないまぜになった、というより、始まりもなければ終わりもないような気配を漂わせた客が少なくなかった。彼らは何を仕事としているのかわかりにくかった。そして、私もまた同じように他の乗客から見れば得体が知れない客と思われているのかもしれなかった。しかし、いずれにしても、その午後の車内で、私は自分を場違いなところにいる人間と感じていた。

もっとも、それは午後の電車の中だけのことではなかったかもしれない。私は事務所にいても家にいても自分が場違いなところにいるという感じをぬぐうことができなかった。だが、それは私だけに限ったことではないはずだった。誰でも、何割かは、ここではないどこかこそがふさわしいという自分を内部に抱えている。しかし、そうであっても、そこがどこかと大袈裟《おおげさ》に騒ぎ立てはしない。たとえそのどこかが見つかったとしても、そこに行けば行ったで、ここではないと感じる自分が何割か残るはずだということを知っているからだ。少なくとも、私はそうだった。

都心のターミナル駅から郊外へ向かうその電車は、途中まで地下を走り、都県境の河の手前で地上に出る。男の眼に気がついたのは、電車が地上に出る四つ手前の駅に着いたときだった。ドアが開き、眼の前に立っていた客が降りたため、前の座席に坐《すわ》っている客が見渡せるようになった。意味もなく順に移していった私の視線は、いちばん端に坐っている洒落《しゃれ》たカシミアのコートを着た中年の男のところで止まった。その男が、何かを見つめている眼つきが気になったのだ。最初は私の席の並びに美人でもいるのかもしれないと思った。このような熱い視線で見つめられる女性とはいったいどのような美人なのだろう。そんなことを考えるともなく考えていたような気がする。電車が次の駅に止まったとき、私は体を片側に少しずらして坐り直した。新たに乗り込んできた客のために、両側の中途半端《ちゅうとはんぱ》にあいた空間をひとりが坐れるだけの席にしようと思ったのだ。その拍子に、男の視線の先に坐っている客が眼に入ってきた。しかし、そこに坐っていたのは美人などではなかった。美人どころか、女性ですらなく、学生服を着た少年だった。中学一年か二年だろうか。黒い制服を着て、本を読んでいた。

私の思い過ごしかとも思った。だが、男は間違いなくその少年の顔に見入っていた。なんとなくどこからかの視線を感じるらしく、少年はときおり本から顔を上げるが、そのたびに男はあわてて視線をそらす。電車が駅を出て、走っているあいだ中、それを繰り返した。私はその男が気になり出した。見てはいけないと思うのだが、つい見てしまう。私にはその男の眼つきに記憶があった。絡《から》みつき、粘りつくような視線。

かつて、やはり少年時代、私も同じような眼で見られたことがあった。

間もなく次の駅に着くというアナウンスが流れると、少年は本を閉じ、カバンに入れた。私は男がどうするか見守っていた。電車が駅の構内に滑り込み、少年が立ち上がって扉の前に立つと、男も立ち上がり、降りていく少年のあとからふらふらとついていった。それを見ているうちに、私に奇妙な感情が込み上げてきた。もし、少年のあとをつけていくあの男の、さらにそのあとをつけていけば、あるいは十五歳のあのときの私に会うことになるかもしれない、と。中学三年生だったあのときの私に……。

だが、私はもちろん席を立つことなく、プラットフォームを歩く男の背中を眼で追っただけだった。やがて、扉が閉まり、走り出した電車の窓から、一瞬、男の横顔が見えた。そこには、泣いているのか笑っているのかわからない、あのときの、あの男とよく似た顔があった。

私は不安を覚えた。あのときのことを思い出してしまうのではないかという危険を感じた。私はいつものように記憶を封じ込めるべく、大きく息を吸い、息を止め、網棚の上に貼《は》られている結婚式場の広告の「館」という字を凝視した。やがてその「館」という字が「食」と「官」という字に分解され、さらにそれらがばらばらになって意味を失って見えるようになるころには、いつものように危険は過ぎ去っていた。

次の駅に着き、その駅を発車するときには、すっかり気持は落ち着いていた。あるいは、私は自分の意志の力を過信していたかもしれない。しかし、これまで、私はこの意志の力によって過去を乗り越えてきたのだ。殺人の過去を遠いものとしてこられたのだ。多少の過信は仕方ないことだったろう。私の記憶は容器に入れられ封印されている。それは自分が望まない限り、決して開けられることはない。私はいつのころからかそう信じるようになっていた。

しかし、電車が地下から地上に出たとき、遅い午後の赤みを帯びた光が大量に車内になだれ込んできた。その瞬間、容器の封印が破られ、一気に記憶が溢《あふ》れてきてしまった。それはまるで幼年時代に見た時代劇映画の一シーンのようだった。敵の屋敷に乗り込んだ主人公の若侍が、不用意に座敷に足を踏み入れたとたん、畳が二つに割れて真っ逆さまに地下牢《ろう》に転落してしまう。そして、しばらくして、暗闇《くらやみ》に眼が慣れてくると、周囲の壺《つぼ》から無数の蛇が這《は》い出してくる。

溢れてきた記憶はその蛇のようだった。封印を破って次々と這い出してくるその記憶には、蛇の鱗《うろこ》のように、冷たいが生々しいぬめりのようなものがあった。しばらくのあいだ、私は一匹一匹その蛇を壺の中に戻そうと努力した。しかし、私が手づかみで壺に戻すより、這い出してくる蛇の数の方がはるかに多かった。電車が次の駅のプラットフォームに滑り込むころには、私はその無駄な努力をやめざるをえなかった。

第二章

1

発端は何だったのか。いつ、どこに、私の殺人にまでいたる道筋の出発点があったのか。二十日間の拘置期間中も、二十八日間の観護期間中も、その一点を中心にしてさまざまな質問が浴びせられてきた。しかし私は、取り調べにあたった誰に対しても、刑事にも、検事にも、家庭裁判所の調査官にも、そして付添人の弁護士に対してさえも、常に「わからない」と言いつづけた。

そこにいたるまでの事実はすべて覚えている。だが、それらをつなぐ糸が見えてこない。そもそも、あのことに本当の意味での発端というものがあったかどうかさえわからない。発端は私が生まれたときにすでに存在していたという言い方もできないわけではないからだ。しかし、それではあまりにも茫漠《ぼうばく》たることになりすぎてしまう。やはり、すべては、あの男と、あそこで、あの風呂《ふろ》屋で初めて会ったときに始まったと言うべきなのだろう。

そのとき、私は風呂屋の湯舟に肩までつかり、脱衣場に眼をやっていた。天井からぶら下がっている蛍光灯が半分以上も消されている薄暗い脱衣場には、湯から上がった客が何人かいて、ジュースを飲んだりドライヤーで髪を乾かしたりしていた。そして番台には、背中を少し丸めるようにして坐《すわ》っている風呂屋の親父《おやじ》がいた。新聞や雑誌を読むわけでもなく、だからといって中の様子に気を配るでもなく、ただうっすらと眼を開け、顔を前に向けたままの姿勢でじっと坐っている。客につり銭を渡すときも、牛乳やジュースの代金を受け取るときも、ほとんど表情を変えることなく、動作も最小のものですませている。その親父の姿は、面倒臭そうに尻尾《しっぽ》で蠅《はえ》を追いながら干し草を反芻《はんすう》している牛を連想させた。

風呂屋は閉店間際《まぎわ》のようだった。高校入試の迫った一月に入ってからというもの、私が風呂へ行く時間は少しずつ遅くなってきていたが、さすがにそこまで遅い時間になってしまったのは初めてのことだった。

親父の背後の太い柱にかかっている大きな柱時計が午前零時の鐘を打った。すると、親父は入り口に向かって体をひねり、「男」と染め抜かれたノレンを斜めに掛け直し、次に女湯の側に体をひねって同じような動作をした。どうやらそれは、もうこれ以上は客を入れないという意思表示のようだった。

ところが、それとほとんど同時に戸が引き開けられ、紙袋を手にしたひとりの客が勢いよく飛び込んできた。客は番台に金を置き、親父に何か言うと、大股《おおまた》で脱衣場の隅のロッカーに向かった。私は湯舟につかって漠然と眺めていただけだったが、その姿にどこか妙なものを感じた。何が変なのだろうとよく見ると、その客はスカートをはいていた。スカートか……、と私は思い、次の瞬間、スカートだって！　と思った。女が入ってきてしまったのだ。私は呆気《あっけ》にとられた。男湯と女湯を間違える客がいるなどとは信じられないことだった。

しかし、最初の驚きのあとで、もういちど眼をこらしてみると、どうやらそれは女ではなく、スカートをはいた男のようだった。私はその女装した男の奇妙な格好《かっこう》に眼を奪われた。男は、籐椅子《とういす》に坐って煙草《たばこ》をふかしている八百屋の親父とひとことふたこと言葉を交わし、身をくねらすようにして笑うと服を脱ぎはじめた。ボアのついた赤いハーフコート、白いタートルネックのセーター、赤と緑のチェックのスカート、それに草色のタイツ。まるで女のサンタクロースのようなけばけばしさだった。すっかり脱ぎおわり、裸になると、厚く塗った顔の化粧だけが、白い仮面のように宙に浮いた。

男はタオルで前を隠し、ガラス戸を引き開け、後ろ手で閉めると、そこでしばらく立ち止まった。どこに坐ろうか迷っていたようだったが、すぐに女湯との境になっている壁の方に向かった。私はいやな予感がした。私の洗い桶《おけ》もその壁際《かべぎわ》のカランの前に置いてあり、すぐ隣が空いていたからだ。

悪い予感は的中した。男は私のカランの隣に坐ると、近くにあった風呂屋の洗い桶を簡単にすすぎ、そこにたっぷりと湯を入れて顔を洗いはじめた。両手で湯をすくい、何度も顔をこすっていくうちに、白い粉と赤い頬紅と唇をはみだした口紅が洗い流され、その下から眉《まゆ》の濃い、唇の厚い、色黒の中年男の顔が現れてきた。

男は湯舟に入るために立ち上がった。それを見て、私も思わず反射的に立ち上がり、湯舟から出てしまった。すれ違うとき、男は私を見て笑いかけてきた。笑うとさらに口が大きくなり、眼尻《めじり》が垂れさがり、まるで泣き笑いをしているピエロのような顔つきになった。私は男がなぜ笑いかけてきたのかわからずどぎまぎした。

私は鏡の前に坐って体を洗いはじめた。スポンジに石鹸《せっけん》をぬり、体にもぬりたくった。まず胸を洗い、つぎに腕を洗った。スポンジはなめらかに腕を滑った。スポンジの通ったあとの皮膚には少しだけ白い泡が残り、かすかな熱を帯びて赤みがさしてくる。なおも力を入れてこすりつづけていると、やがて朱色に染まってくる。首筋を洗い、腰から腿《もも》を洗う。その腿にはランニング用のパンツのあとがくっきりと残っている。日に焼けた腿とその上の白い腰とが一本の線で区切られているのだ。しかし、秋まではその線はもっとはっきりしていた。陸上部の練習に出なくなって、薄いコーヒー色をしていた腿が急に色あせてしまった。

スポンジを膝《ひざ》から足先にかけて動かしていると、横から強い視線を感じた。私は顔を上げ、気配の感じる方に体を向けた。すると、湯舟から顔を出し、じっとこちらを見つめている男と眼が合った。私はあわてて視線をそらし、ことさら激しくスポンジを動かしはじめた。

やがて男は湯舟から上がると私の横に腰を下ろし、気持よさそうにふうっと大きく息をついた。私はタオルに石鹸をぬり、それを棒のように伸ばすと背中を洗いはじめた。鏡の奥から男の強い視線が感じられたが、下を向いたままタオルを動かしつづけた。洗い終わり、タオルをゆすぐため湯を出そうとして前の鏡に眼をやると、タオルに石鹸をぬりながらこちらを見ている男の顔が映っていた。男は鏡をのぞき込み、私の視線を捉《とら》えようとする仕草をした。私は無視して、洗い桶に視線を落とし、タオルをゆすいだ。体の次は髪を洗う番だった。桶に湯を満たし、頭からかぶろうとして、私は急に隣の男の存在が不快に思えてきた。洗髪はどうでもいい。もういちど湯舟につかって早く上がろう。私は桶の湯を頭ではなく体に浴びせ、勢いよく立ち上がった。すると、隣の男が口を開いた。

「おにいさん」

思いがけず太い声だった。しかし、語尾に糸を引くような粘っこさがあった。

「おにいさん」

男がまた言った。それが自分に向けられた言葉だということに気がついて私はうろたえた。立ち上がったままの姿勢で見下ろすと、男は軽い笑いをふくんだ声で言った。

「おにいさん、肩に石鹸がついているわよ」

私はあわてて坐り直し、湯をかぶった。

「まだついているわよ」

男はそう言いながら、自分の桶で私の首筋に湯を掛けた。それはザッと勢いよく掛ける流し方ではなく、何十秒にも感じられるほどゆっくりした掛け方だった。

「これで落ちたわ」

その言葉で我に返った私は自分の顔が赤くなるのがわかった。洗い場にいる客がみんな見ているような気がした。この女のような気持の悪い男と知り合いだと思われているのではないかと考えると、恥ずかしさで大きな声を上げたくなるほどだった。私は礼も言わずに立ち上がった。

湯舟につかっていると額に汗がにじんできた。手の甲でぬぐっても、粘りけのあるその汗はべっとりと額についたまま取れないような気がした。

それが一月中旬の週のはじめ、月曜日の夜のことだった。

2

火曜日の一時間目の授業は国語だった。私は、黒板に現代詩の一節を書き写し、甲高い声で説明している女性教師の相田の口元から、視線を窓の外に移した。教室の窓ガラスの向こうからキラキラと光るものが眼に入ってきたのだ。

太陽が顔をのぞかせ、霜が溶けはじめた校庭では、一年生の男子が体育の授業でサッカーをしていた。入学して一年ちかくが過ぎ、少しは中学生らしい体つきになっていたが、むやみにボールを追いかけまわしているだけの姿は、まだどこか幼かった。オフェンスもディフェンスもなく、全員がボールの転がる方向に集まっては、ひたすら泥の蹴《け》り合いをしている。しかし、中にときどき鋭いパスを送る生徒がいて、そのボールをカットしようとした生徒が勢いあまって転倒すると、水気を吸った泥が白いトレーニング・パンツにべっとりとついてしまう。

私は視線を校庭からコンクリートの塀の外に向けた。道を隔てて民家が立ち並ぶ一帯には、さまざまな色の屋根が見え隠れしている。冬の弱い太陽が、それでもゆっくり昇るにつれて、屋根の瓦《かわら》が輝きはじめる。三階の窓際《まどぎわ》の席に坐《すわ》っている私の眼の端に入ってきたのは、新築したばかりの二階建ての家の青い瓦の輝きだった。そこに陽があたり、キラキラと光を放っていたのだ。その輝きをしばらくじっと見つめていると、眼の奥がしびれてきそうになった。

眼を離して教室の前方を見ると、相田が濃い口紅をつけた唇の隅に白い唾《つば》を溜《た》め、あいかわらず熱心にしゃべりつづけている。だが、クラゲがどうしたとかいうその話を、まじめに聞いている生徒はほとんどいない。冬休みが終わり、三学期が始まったばかりだというのに、教室の空気は学期末のようにだらしなく緩んでいた。列のあちこちに空席が目立つのは、学校を休んで受験勉強の追い込みをしているからだ。私立高校の入試は間近に迫っていたし、都立高校の試験日まで一ヵ月半しかなかった。彼らは内申書に関係のない三学期を初めから捨てているのだ。

相田の金属質の声はただの雑音としてしか耳に入ってこない。私は左手で頬杖《ほおづえ》をつき、右手に鉛筆を持って教科書の余白に線を引きはじめた。円を描き、その上に三角形や四角形を重ね描きし、何本か無造作に線を引く。そして、その弧や直線が交わってできた奇妙な図形をひとつおきにぬりつぶしていった。それは、私が外の世界を遮断して自分の内側に引きこもろうとする際の一種の儀式のようなものだった。左手の手のひらが柔らかく頬をつつみ、紙の上で尖《とが》った鉛筆の芯《しん》が動く。眼を細めるようにしてその動きを見ているうちに、私はいつのまにか空想の世界に入っていくことになるのだ。

鉛筆を動かしているうちに、しだいに頭の中が白っぽくなってくる。やがて、その白いもやのようなものの中から、何かが姿を現してくる。それはそのときどきによって違っていたが、この日はしばらく前からよく見るようになった高く澄んだ空が現れてきた。空の下の小高い丘の上の廃墟《はいきょ》には太い大理石の円柱が何本も立っている。ギリシャの神殿の遺跡に似ているが、社会の教科書に載っていたアテネのアクロポリスとは微妙に違っている。しかも、ギリシャなら暖かそうなはずなのに、なぜかそこの空気は冬の早朝の空気のように冷たく澄んでいるのだ。いつもはそこに一羽の白い鳥が飛んでくる。白い鳥は何度か上空を旋回すると、大理石の階段に舞い降りる。ところが、この日はその白い鳥がなかなか姿を現さなかった。

しばらく頭の奥の廃墟をじっと眺めていると、突然、列柱の一本がゆっくりと倒れかかってきた。スローモーションのフィルムより、もっと、もっとゆっくりとだ。大理石の柱は、地面にぶつかると、乾いた音を立てて転がった。

その瞬間、私の鉛筆を動かす手が止まった。カラーンという乾いた音のあまりの寂しさにドキッとしてしまったのだ。私はそんな音にビクつく自分に舌打ちしたいような気分になりながら、もういちど台形や扇形のなりそこないのような図形をぬりつぶしていった。しかし、こんどは、ストーブにかかったヤカンのピューピューという音が耳についてどうしても内に入り込んでいけない。ついに私は諦《あきら》め、この時間は一年生の下手なサッカーを見物することにしよう、と思った。


昼休みが終わり、五時間目のチャイムが鳴った。校庭から戻って、窓際のいちばん後ろにある自分の席に坐ると、汗がさらに激しく吹き出てきた。私は机の横に置いてあるスポーツバッグからタオルを取り出し、顔と首をふき、ワイシャツのボタンをはずして胸から背中にかけてもふいた。

学校では校庭だけが私の場所だった。校舎の中に私の居場所はなかった。授業はどれも退屈で、教室は居心地が悪かった。授業中はいつも黙って外を眺めているか、教科書の余白にいたずら書きをしているか、それともなければ居眠りをしていた。しかし、校庭にいるときだけは別だった。学校では、昼休みの三十分と放課後の二時間が私の時間だった。そして、放課後の大切な二時間が失われてしまった秋以降は、昼休みの三十分がすべてになった。

その日も、昼食後の三十分間、私はほとんど休むことなく校庭を走りまわっていた。クラスの男子とデッドボールをしていたのだ。

デッドボールは、私たちのクラスで最も流行《はや》っている遊びだった。道具はバレーボールに使う革製のボールがひとつあればいい。ルールなどは一切なく、ボールを手にした者がそれを誰かにぶつけるだけという単純なものだ。学校ではメチャぶつけと言われていたが、私たちのクラスではいつのころからかデッドボールと呼ぶようになっていた。ボールをぶつける相手は誰でもよく、持ってから何歩あるいてもいい。何十歩でも、何百歩でもかまわない。校庭全体がコートのようなものなのだ。ボールを持った者が、持っていない誰かを追いかけ、叩《たた》きつける。しかし、叩きつけたボールが相手にうまく受け止められてしまえば、攻守はところを変えることになる。追った者が追われる者になる。あるいは、弾《はじ》かれたボールを他の誰かが拾う。拾った者は新しい獲物《えもの》を求めて追いかけはじめる。逃げる者は半身に構えながら後退する。後ろを向いて逃げた方が速いに決まっているが、そうすると叩きつけられたボールを受け止められないし、なによりも泥のついたボールのあとが黒い学生服やセーターの背中にくっきりとついてしまう。胸につくあとは何でもないが、背中についたあとは恥ずかしいという感じを誰もが持っていた。遠くにいれば誰からもぶつけられないが、そのままではいつまでたってもボールを手にすることはできない。だから、わざとボールを持った者の眼の前に体をさらしたり、転がったボールが拾えるくらいの距離にまで近づいていく。

クラスでデッドボールが流行りはじめたのは二学期の後半からだった。高校入試が目前に迫った三学期に入ると、昼休みは毎日がデッドボールだった。何人かは昼休みにも教室に残って受験勉強をしていたが、たいていの男子はこれに参加した。誰にとっても、体の隅にねじくれたまま溜まったエネルギーを発散する機会はこれくらいしかなかったのだ。これなら好きなだけ校庭を走りまわることができたし、誰かに思いきりボールを叩きつけるという快感も得ることができた。

私もこのデッドボールが好きだった。ぶつけられたボールをうまく受け止め、一気に逆襲に転じる瞬間の快さはなんともいえなかった。その昼休みにも、私はいつものように常にボールの前に身をさらし、激しくボールを奪い合い、誰かれとおかまいなくボールを叩きつけた。

ただ、途中で一度だけぶつける相手を選んだ。選んだ相手は金山だった。クラスの男子の中で私に次いで背が高く、私よりはるかにがっちりしている金山が、どういうわけか井原を集中的に狙《ねら》っている。いつもは私と同じように誰でもかまうことなく近くにいる奴《やつ》にぶつけようとするのに、今日にかぎって、ボールを持つとどんなに離れていても井原に襲いかかっていく。井原はなりふりかまわず逃げるのだが、それでも金山は執念ぶかく追っていこうとする。

井原は小柄な痩《や》せっぽちで、クラスの中でも最も体力のないひとりだった。しかし、教室では授業の合い間に冗談を連発してはみんなの笑いを誘う。教師も始めのうちは叱《しか》っているが、その冗談が授業に弾みをつけてくれることがわかると、自分たちもただ笑っているだけになっていく。井原は教師公認の道化のような存在だった。おしゃべりで、噂話《うわさ》が好きだった。いつもひとこと余計にしゃべりふらしてしまい、噂の主に問いつめられるたびに、冗談、冗談、と笑いにまぎらす。だが、もちろん、校庭では冗談は通じない。井原も自分の体力を計算に入れ、危険を避けて拾い屋に徹していた。それをみんなも心得ていて、井原のことはよほどのことがないかぎり狙おうとはしなかった。ボールを拾った井原にぶつけられでもすると、みんなに馬鹿《ばか》にされることになるので、そうした誰かが意地になってぶつけ返すくらいだった。

その井原を金山が追いかけている。

「どうした」

すれ違いざまに訊《たず》ねても、金山は返事もしない。

「どうしたんだ」

次にすれ違ったときに私がまた言うと、金山は吐き捨てるように言った。

「汚ねえ野郎なんだ！」

金山の友達に対する評価は三種類しかない。いい奴か、いやな奴か、汚い奴か、だ。行為に対する評価の仕方も同じだ。理由を言わなかったが、教師に何か告げ口でもされたのだろう。

「いいじゃないか、あんなの」

しかし、金山は私の言葉などまるで耳に入らないかのようにまた井原を追いはじめた。私はひよわな井原を痛めつけようとしている金山の姿を見るのがいやだった。校庭で遊んでいる他のクラスの連中には、きっと弱い者いじめをしていると思われてしまうだろう。

「やめろよ」

近づきながら小さい声で言うと、私の顔を見ずに、すさまじい形相で言い返した。

「ほっといてくれ！」

教室の中で私はほとんどいつも黙っていた。クラスに親しい友達はいなかったし、無意味な会話の輪に加わる気もなかった。しかし、それでも、隣の席の金山とだけは言葉を交わすことがあった。積極的に近づこうとは思わなかったが話しかけられれば返事をした。金山は学校中で恐れられていた。この中学を仕切っているグループは別にいたが、その番長格の三年生も金山には手を出そうとしなかった。体力も腕力もあり、誰と喧嘩《けんか》をしても負けなかったが、恐れられている理由はそれだけではなかった。金山には、駅前を縄張りとしている組に属している兄がいるという噂があったのだ。そのため、金山にはクラスの連中も怖がって近づこうとしなかった。ただ私だけが例外だった。彼の兄が組員であろうとなかろうと、私には関係のないことだった。それに、どういうわけか金山は私に一目置いてくれていた。それはもしかしたら、私が金山と同じように教師に対して柔順な態度を取ろうとしなかったからかもしれない。しかし、私は金山と違って、誰に対しても反抗的だったのではない。どうしても嫌いなひとりを除けば、ただ無視をしていただけなのだ。

金山が井原を追いつめ、後ろ向きになって逃げる背中に思いきりボールを叩きつけたとき、私はそのボールを拾い、油断している金山にぶつけた。金山はびっくりしたように私を見た。しばらくして、また金山が井原にぶつけた直後に、ボールを拾った私は金山を狙って叩きつけた。金山だけでなく、ゲームに参加している全員が驚いているのがわかった。私と金山のあいだには暗黙の協定が結ばれており、冗談でもなければぶつけ合わないことを、みなよく知っていたからだ。

三度ぶつけられると、金山も私が冗談でやっているのではないことがわかったらしく、目標を井原から私に変えてきた。私の肩も決して弱くはなかったが、金山の肩の強さは飛び抜けていた。いまはもうやめてしまっていたが、以前はバスケットボール部のセンターをしていた。相手チームにがっちりゾーン・ディフェンスを敷かれているときに放つ金山のロングシュートは、同じ中学生とは思えないほど見事なものだった。それがどういう理由からか三年になるとすぐに退部してしまっていたが、その金山に力いっぱいボールをぶつけられると思わずうめいてしまうほど痛かった。うまく胸で受け止めても、ずしんと骨に響いてくる。しかし、私たちは、二人でマッチ・プレイでもしているかのように、強引にボールを奪っては叩きつけあった。そのうちに、熱くなった金山は井原などどうでもよくなってきたようだった。そこで私は安心して他の連中にもボールを叩きつけるようになった。

あるとき、金山がボールを追いかけ、校庭の端に走っていってしまうと、井原が私にすり寄ってきて、囁《ささや》くような声で言った。

「ありがとう」

私が黙っていると、聞こえなかったと思ったのかまた言った。

「ほんとにありがとう」

心の中では、これはおまえのためにやったことじゃない、とつぶやいていたが、私は黙ったままボールを拾った金山めがけて走り出した……。

授業の開始を告げるチャイムが鳴ってから五分遅れて数学の根岸が教室に入ってきた。私はうんざりしながら教科書を机の上に出した。びっしょり汗で濡《ぬ》れた下着が少しずつ冷たくなり、皮膚に気持の悪いくっつき方をするようになっていた。根岸は黒板の前に立つと、まだかなりページ数の残っている教科書を学年末までに処理するため、生徒の理解などおかまいなしにどんどん読み飛ばしはじめた。

頬杖《ほおづえ》をついてぼんやりしていると、濡れた下着が体の熱で乾いていくのがわかる。すると、少しずつ眠くなってきた。前に坐っている女子の黒いつやつやした髪を見ているうちに、根岸の声がだんだん遠くなってきた。眠ろうと思い、机の上に投げ出した左腕に顔を伏せようとした瞬間、名前が呼ばれたような気がした。ふっと顔を上げると、薄笑いを浮かべてこちらを見ている根岸と眼が合った。

「おまえだよ」

あわてて立ち上がると、椅子《いす》はガタガタッとみっともない音を立てて後ろに倒れた。椅子を起こして横に立つといっせいにクラスの視線が集まった。その効果を充分に計算しながら根岸は言った。

「眠そうだから、しばらく立ってろ」

教室のあちこちから忍び笑いが起きた。寝ている奴は他にもいたはずなのに、私だけが狙い撃ちされたのは、数学のこの若い教師に嫌われているからだった。私を眼の敵《かたき》にしている。そのことを意識すると、私はことさら挑戦的な口調で言った。

「ここでいいんですか、廊下ですか」

三年になって間もないころ、私はこの根岸に立たされたことがあった。原因はつまらないことだった。私はこの新任の教師を嫌っていた。学年が新しくなって初めて授業にやってきたとき、五分もしないうちにほのめかしはじめたのは、自分は中学の教師にはふさわしくないということだった。要するに、おまえたちなどに教えるのはもったいないと言いたかったのだ。大学院を中途でやめさえしなければ最先端の研究を続けていられただろう。そんな意味のことを愚痴っぽく何度も繰り返した。私も確かにふさわしくないと思うようになった。すぐれていたからではなく、あまりにも教えることが下手だったからだ。生徒に公式と公式とのつながりをわからせることができない。それは根岸に数学の最も大事なことが理解できていない証拠のように思えた。いちど嫌いになるとそのすべてが不快に感じられてきた。

　根岸にはつまらない癖があった。黒板に数式や証明の文章を書くとき、やたらに読点を打つのだ。いや、それは読点などという代物《しろもの》ではない。ひとつの熟語、ひとつの数式を書くたびに力いっぱい点を打つ。そのたびにチョークが黒板を打つ音がし、破片があたりに飛び散る。ぼんやりしていると一時間中その音が響きわたっているような気がするくらい頻繁だった。とにかく、私には耳ざわりな音だった。それは隣の列に坐《すわ》っている金山にも同じだったらしく、ある日、いったい一時間のうちに何回くらい点を打つか数えてみないかと言ってきた。馬鹿ばかしいことだったが、ひとつ問題を解くたびにこれは高校入試に出るだの、特に教えてやっているのだなどと得意げにしゃべっている数学教師の授業など、真面目《まじめ》に聞いていられなかった。私は笑ってうなずいた。

　実際に数えてみると、それは恐るべき数だった。十分で八十五回を数えたのだ。このままの調子で五十分が過ぎれば、四百回を軽く超えてしまう。二人で呆《あき》れながら笑っていると、根岸が癇癪《かんしゃく》を破裂させた。笑っている理由を訊ねられた私が、十分間に八十五回も点を打ったことを伝えると、顔を紅潮させた根岸に二人とも廊下に立っていろと命じられた。

私たちは並んで廊下に立った。廊下を通る教師や生徒たちに面白半分の視線で眺められながら、それでも陽気に無駄口を叩いていると、金山に相槌《あいづち》を打っていると、眼鏡の奥の細い眼をさらに細く吊《つ》り上げた根岸が、黙って立っていろと言いにきた。よほど頭にきていたのだろう。終業のチャイムが鳴り、職員室に戻っていくときも、私たちには声も掛けなかった。だから、私たちは始業のチャイムが鳴り、次の授業の社会科の教師が来ても、まだ立ったままだった。社会科の教師は、もういいから教室に戻れと言ってくれたが、根岸に命じられたのだから根岸にいいと言われるまで戻るわけにはいかない、と突っ張った。勝手にしろ、と授業を始めたが、やはり気になるらしく、途中で授業を中断して根岸を探しにいった。根岸を連れて戻ってくると、社会科の教師は皮肉な笑いを浮かべて言った。

「こいつら、先生がいいと言うまで立ちっぱなしのつもりらしいんですよ。先生もなかなか怖いんですな」

根岸は侮辱されたと思ったらしく、顔を赤らめ、怒りに満ちた声で私たちに言った。

「もうい、坐れ！」

金山は意気揚々と教室に戻り、まるで凱旋《がいせん》将軍のように手を上げて席についた。私はただ苦笑しながら席に戻っただけだったが、根岸に対してザマアミロという思いは抱いていた。しかし、それ以来、根岸は私と金山に、とりわけ私に対して強い敵意のこもったまなざしを向けるようになった。たぶん、私の眼に浮かぶ侮蔑《ぶべつ》の念が根岸にも見て取れたのだろう。それからも何度となく立たされたが、根岸は最初のときに懲《こ》りたのか廊下には出そうとしなかった。

眠そうだから立っていろと根岸に言われ、ここでいいのか廊下なのかとわざと訊き返したのは、私にあのときのことを思い出させてやろうという攻撃的な気持があったからなのだ。根岸は、私のその言葉に、もう怒りをにじませながら言った。

「そこでいい！」

私は根岸に命じられた通り、その場に立った。金山が笑いながらこちらを向いた。私が顔をしかめ、うんざりという表情をしてみせると、金山は根岸の方に向かって顎《あご》でしゃくり、声に出さずに口を動かした。

（ア、ノ、バ、カ、ガ）

私もうなずいて口を動かした。

(ア、ノ、ア、ホ、ガ)

すると、根岸がすかさず怒鳴った。

「真面目に立ってろ！」

私は立ったまま窓の外に視線を向けた。午後の陽差しはもう弱くなりはじめている。私たちの教室がある西側の校舎の影が、いくらか乾いた校庭に黒々と横たわっていた。そして、南の端の陽だまりにある砂場では、どこから入ってきたのか近所の老人とその孫らしい男の子が遊んでいた。

小さな赤いスコップでいくつもの穴が掘られているその砂場は、かつて私の聖地だったところだ。この一年間、私はその場所と共にあった。私はそこに向かって走り、跳ぶことだけで日々を過ごしてきたのだ。一センチ、二センチと記録が伸びていく。五メートル五十を超え、六メートルに近づいていく。競技会で六メートルを超えたときは、自分に無限の力と可能性があるように感じられたものだった。練習すれば成果は確実に出た。その快感を追い求めて、私は毎日砂場で跳びつづけた。しかし、いまはもう縁のないところになってしまった。きっと、私は二度と跳ぶことはないだろう。砂場の中の灰色の砂と、その手前にある茶褐色の踏切板には、私が流した一年分の汗が染《し》み込んでいるはずなのだが……。

私は感傷的な気分になりかけたが、すぐにくだらないと思い返した。砂にも板にも汗など染み込んでいるはずがない。そんなものは、とっくの昔に雨が洗い流しているに違いなかったからだ。

そのとき、不意に、前の晩に風呂《ふろ》屋で出会った奇妙な男の姿が眼の前に甦《よみがえ》ってきた。いったいあの男は何をしている奴なのだろう。オカマ……という言葉が浮かんできたが、そのオカマがどうしてあんな格好をしているのかとなると、私にはまるで見当がつかなかった。どこからか「おにいさん」というあの男の粘りつくような声が聞こえてきたような気がして、私は思わず周囲を見まわしてしまった。

3

その夜、表通りのラーメン屋で日替わり定食をたべて出てきたときには八時を過ぎていた。

私が父と二人で住んでいる家は、コンクリートでできたマッチ箱のような形をした四階建てのアパートだった。家はその四階のいちばん奥まったところにあり、食堂と兼用の居間に六畳と四畳半の部屋がついているだけの簡単な間取りだった。古い建物のためエレベーターなどなく、コンクリートの階段を昇らなくてはならない。おまけに、階段から部屋に向かう北側の通路には、安直な鉄製の手すりしかついていないため、冷たい風がもろに吹きつけてくる。私はドアの前に立ち、冷えきったノブをまわした。だが、ノブは少し動くだけで回転しない。父はまだ仕事場から帰っていないようだった。鍵《かぎ》を差し込むため少しかがむと、中からバーンという銃声が聞こえてきた。部屋を出てくるときに私がテレビをつけっぱなしにしておいたのだ。

ドアを開けて中に入っても、部屋の空気は外と同じように冷えきっている。居間の蛍光灯にスイッチを入れ、ガスストーブを点火した。つけっぱなしのテレビではラーメン屋のテレビと同じく刑事物のドラマをやっていた。私はテーブルの前の椅子《いす》に坐《すわ》ってぼんやりと画面を眺めた。バカな犯人をアホな刑事たちが追いかけている。

「バカ、アホ、バカ、アホ、バカ、アホ……」

小さい声でひとりごとを言っていると、背後でドアのノブが動く音がした。

「お帰り」

私が振り向きもせずに言うと、入ってきた父がいつものように口の中でこもるような返事をした。

「うん……」

父は玄関で靴を脱ぐと流し台に近づいていった。顔を向けると手にパン屋の袋を持っている。朝食用のパンはまだあるはずだった。きっと、帰りにどこかの食堂で夕食をすませてくるのが面倒になってしまったのだろう。父は湯沸かしに水を入れ、ガス台にかけた。

「飲むか?」

父が火をつけながら静かな声で訊《き》いてきた。

「いらない」

私はテレビの画面に視線を戻しながら言った。

湯が沸くと、父は紅茶を入れた大きなカップを持って向かいの椅子に坐った。それをゆっくりと飲みながら菓子パンを二つ食べた。パンを持つ手の爪《つめ》のまわりが油で黒く汚れていた。風呂《ふろ》屋にも寄ってこなかったらしい。仕事が忙しいのかもしれない。そう思って父の顔をちらりと見ると、頬から顎《あご》にかけてすすけたような汚れがあり、そこに疲れのようなものが溜《た》まっていた。父は私がアホな刑事たちのマヌケな追跡劇を見ているあいだは一緒にテレビを見ていたが、やがて派手な銃撃戦でめでたく犯人を逮捕し終わると、まだ少し残っている紅茶のカップを手に、黙って自分の部屋に入っていった。しばらくして、いつものように本のページをめくるかすかな音が伝わってきた。

父はいつも本を読んでいた。まだ母と妹が家にいたときもそうだった。夜、みんなで居間のテレビを見ていても、番組にちょっとした区切りがつくと、ひとりで父と母の部屋に入り、座卓の前に坐って本を読みはじめる。本は仕事場の近くにある古本屋から安いものを買ってくるらしかった。多くは外国の翻訳書だったが、日本の小説を読んでいることもあった。読み終わると、またその本を古本屋に持っていき、いくらかの金を足して別の本を買ってくる。だから家には、父の本としてはそのとき父が読んでいる本しかなかった。

だが、一冊だけ例外があった。それは、黒い革の表紙の、辞書のように厚くて大きい横文字の本だった。その本だけは常に父の部屋に置いてあり、翻訳書や日本の小説を読んだあとでも、最後はその本を広げていることが多かった。それがどこの国のどんな種類の本か私にはわからなかった。何度か開かれたままになっているページを見たことがあったが、そこに記されていたのはアルファベットではなく、暗号のような文字が果てしなく続くものだった。ほとんどの文字が線と点から成っている。線はカギカッコや窓枠のような形になり、そこに点がいくつか打たれている。一個の場合もあれば、二個、三個の場合もあった。中でも私が強く眼をひかれたのは、水瓶《みずがめ》を逆さにしたような文字と、四角の中に点がひとつ打たれている文字だった。とりわけ、四角に点のある文字はまるで小鳥の横顔のように可憐《かれん》に見えた。

その本を、父は辞書も引かずに読んでいた。あるいは、その内容はすべて頭に入っていたのかもしれない。読んでいる途中で、ふと思いついたように別の箇所を開け、そこを読んでからまた元に戻るというような読み方をすることがあったからだ。

父がその本のページをめくる音は、他の本とは微妙に違っていた。あるいは、紙の質がかなり異なっていたのかもしれない。めくるたびに、乾いてはいるが柔らかみのある音がした。そしてそれには、楽器の弦がかすかに震えるようなやさしい響きが含まれていた。私は、父が本をめくる音を聞きながら、無意識のうちにどちらの本を読んでいるか判断する癖がついてしまった。黒い革の本か、それ以外の本か。そして、いつの間にか、父が黒い革の本を読んでいるときはむやみに話しかけないようになっていた。幼い眼にも、それを読んでいるときの父は、心がどこかに行ってしまっていることがわかっていたからかもしれない。その本には、私が手で触れてもいけなければ、それについて訊《たず》ねてもいけないといった秘密めいた気配があった。

私はテレビの画面に眼を向けたまま、襖《ふすま》の向こうに耳を澄ました。しばらくして本のページがめくられる音がした。その音で黒い革の本を読んでいるのではなさそうだということがわかった。私はチャンネルをまわし、音楽番組を見はじめた。しかし、すぐに退屈し、寒気がするような裏声を使うコーラス・グループが登場したところでスイッチを切った。私も居間から自分の部屋に入った。

部屋には、机と椅子と小さな整理ダンスを除けば、隅に二段ベッドが置いてあるだけだ。下のベッドは妹が使っていたが、母と出て行ってからは、私の服や本などが散らばる物置のようなものになっていた。

母が家を出て行ったのは私が小学校の六年生のときだった。なぜ出て行ってしまったのか本当の理由は知らない。父と母が別れなくてはならないほど険悪な仲だったとはとうてい思えない。母は近所の家具会社で事務員をしていたが、仕事と家事でどんなに疲れていてもそうした様子を私たちに見せようとしなかった。むしろ、常に仕事から帰って来た父に気を配ることを優先していたと思う。その姿はどこか主人に仕える侍女のようでもあり、また病人をいたわる看護婦のようでもあった。喧嘩《けんか》するでもなく、罵《のの》り合うこともなく、ある日、母は妹を連れて家を出て行った。

妹がいるあいだはあれほど狭く感じられた六畳の部屋が、ひとりで使うようになってからとてつもなく広く感じられるのが奇妙だった。私は机の前に坐り、本立てから問題集を抜き出した。それは都立高校の入学試験問題の最近十年間の出題傾向を分析したとかいうものだった。

しばらくは問題集を広げ、三年前の入試に出た英語の問題を解いていたが、すぐにいや気がさしてきた。こんなことをしてもどうにもなりはしないのだ、という気分になってきた。しかし、それは別に珍しいことではなかった。私が勉強を始めた秋の終わりのころを除けば、あとはいつも、少し机に向かっては無力感に襲われつづけていたのだ。どうせ無理に決まっている、合格するわけはないのだ、と。私は問題集を閉じ、前日近所の貸本屋で借りてきた分厚い推理小説を取り出した。明日中に返さないと超過料金を取られてしまう。もったいないから読んでしまおう。私はいつもの勝手な理由をつけ、残りの三分の一のページで犯人を逮捕しなくてはならない刑事に付き合うことにした。

ふと気がつくと、時計は十一時をはるかに過ぎていた。私はあわてて本を閉じた。部屋を出て、台所の流し台の上に吊《つ》ってある棚から洗面道具を取り、タオルを持った。

「風呂に行ってくるね」

襖越しに声を掛けると、父の声がくぐもって聞こえた。

「うん……」

そしてまた紙のこすれるかすかな音が聞こえてきた。その音はいつもの黒い革の本のページをめくる音だった。

上がり湯を浴びて、洗い場を出た。

家を出るのが遅かったため、もしかしたら前夜のあの奇妙な男に会ってしまうのではないかと不安だった。会えばまた言葉を掛けられそうな気がした。風呂屋まではほとんど走るような急ぎ足で来てしまったが、おかげで会わずにすんだようだった。私はほっとしながら脱衣場で体をふいていた。長く湯舟につかっていたため、ふいてもふいても汗が吹き出てくる。私はパンツをはいてから、番台と大鏡のあいだにある冷蔵庫に近づき、勝手に牛乳の瓶《びん》を取り出した。そして、番台に坐っている親父《おやじ》の膝《ひざ》の前に硬貨を置いた。

冷蔵庫の横にぶら下がっている小さなピックで紙のふたを取り、瓶の厚い口に唇をつけようとしたとき、勢いよく戸が開いて、あの男が入ってきた。

男は私がいるのに気がつくと、笑いを浮かべながら近づいてきた。私は横を向いた。しかし、男は大きくまわり込むと、私の顔を下から大袈裟《おおげさ》にのぞくようにして言った。

「おいしい?」

私は思わず笑い出してしまった。乾いた喉《のど》に冷たい牛乳がまずいはずはないが、牛乳などおいしいかどうかわざわざ訊ねるほどのものではない。その的はずれの問いかけに滑稽《こっけい》さを感じてしまったのだ。すると、また男が言った。

「綺麗《きれい》な歯ね。真っ白で、ミルクみたいなのね」

私が何と答えてよいかわからないまま黙っていると、男が声に妙な調子をつけて言った。

「あたしはダメなの。醜くて、醜くて……」

そして歯を剝《む》き出して見せた。確かにその前歯は、黄色く汚れているだけでなく、欠けて黒くなっていたり、抜けたまま隙間《すきま》が空いていたりと、まったくひどい状態になっていた。

「奥歯はもっとひどいのよ」

男はそう言って泣き笑いのような表情になると、また歌うような調子で言った。

「あたしはダメなの、醜くて、醜くて……」

私は急いで残りの牛乳を飲みほして外に出た。

冷たい夜の空気に触れながら歩いていても、男が歌うように言っていた、ミニククテ、ミニククテ、という言葉が、いつまでも耳について離れなかった。

そのとき、私はすでにかすかな不安を覚えていたのかもしれない。かつてそれほど無残な口の中を見たことはなかった。歯は抜け、折れ、歯肉は腫《は》れ、腐っていた。男が言うように本当に醜かった。そのように醜いものを見てしまったことで、自分が何か得体の知れないものに搦《から》め捕られていってしまうのではないかと恐れる気持が芽生えたとしても不思議ではない。しかし、私はその不安について深く考えることをしなかった。もしかしたら、ミニクテ、ミニククテ、という男の言葉は、私の胸の奥にひそむ血の色をした扉を押し開く最初の呪文《じゅもん》だったのかもしれないのに……。

4

翌日、学校から帰るとすぐに貸本屋に行った。本は前夜のうちに読み終えていた。午前三時までかかってしまったため授業は一時間目から眠かったが、私には超過料金を払わずにすんだ満足感の方が大きかった。

空には鋼《はがね》のような色をした雲が重く垂れこめていた。四時を過ぎたばかりだというのに外は薄暗くなっている。いつ雨が降り出してもおかしくない空模様だった。

私は貸本屋に入っていった。店の中央には高い棚があり、それが店を二つに分けている。右側の棚や平台には子供用の雑誌やマンガが並べられ、左側には大人用の雑誌や小説が置いてある。六年生になるまで、私はその左側のところにほとんど入ったことがなかった。たまにそこを通ると、棚の下の平台に並べられている、寝そべって髪に手を当てた裸の女の写真や、縛られて天井に吊《つ》るされた女の絵が載っている雑誌が眼に飛び込んできて、急いで眼をそらせたものだった。店の左側には、子供の自分が足を踏み入れてはいけないようなまがまがしい気配があった。私は毎日のようにマンガを借りたり返したりするためその店に行ったが、めったに左側を通ることはなかった。

それが、六年生になってすぐのことだったが映画を見る機会があった。その二本立てのうちの一本が殺人犯を執念ぶかく追跡する刑事の物語で、最後の最後まで息苦しいほどの緊迫感があった。家に帰って父に話をすると、その映画には小説の原作があるのだと教えてくれた。マンガを借りにいったついでに大人の本棚を探すと、父が教えてくれたとおりの題名の本があった。私は迷いながら、恐る恐るその本に手を伸ばした。生まれて初めて、マンガ以外に自分から読もうとする本だった。読んでみると、映画よりはるかに面白かった。それ以来、私はしだいに右側のマンガの棚に行く回数が減り、やがてほとんど行かなくなった。私は推理小説の棚を漁《あさ》って読むようになった。

　私が小説を読むようになってがっかりしたのは母だった。母は私が家で勉強したりするより外で遊んでいることの方を好んだ。いくら学校の成績が悪くても、母はまったく意に介さなかった。あまりにも宿題を忘れすぎて困ると担任に呼び出されたときも、その場は神妙に聞いていた母が、学校を出たとたん宿題なんてどうでもいいのよと笑っていたことさえある。しかし、私が小説に夢中になると、一度だけだったがほんの少し眉《まゆ》をひそめるようにして言った。本の中には何もないのよ、と。私には意味がよくわからなかったが、母が本を読むということを好んでいないらしいことだけは察知できた。

　家を出て行った母が私に望んだことはいくつもない。どんなときでも勇敢であること。それが母の望んだほとんど唯一《ゆいいつ》のことといってよかった。母は私がどんな無謀なことをしても文句を言わなかった。野球をするための広場の奪い合いで上級生と喧嘩《けんか》して怪我《けが》をしたときも、近くの池で手製のイカダが転覆して溺《おぼ》れそうになったときも、母はいっさい叱《しか》らなかった。だが、少しでも臆病《おくびょう》だったり卑怯《ひきょう》な振る舞いを見せると表情をくもらせた。勇敢であること。それが私の行動の規範となった。しかし、幼い私には、二つの選択肢があったとき、どちらが勇敢な振る舞いなのかわからないことがよくあった。

たとえば、ある晩、クラスの男子が母親に連れられて私の家に謝りにくる。その子のいたずらのせいで私が担任の教師に怒られたことを詫《わ》びにきたのだ。

その二日前の放課後、校庭で遊んでいたクラスの女子のランドセルが消えてしまった。彼女は友達と教室中を探したがどうしても見つからない。泣きながら職員室の担任のところに行き、一緒に探してもらったがやはり出てこない。翌朝、ホームルームの時間に担任がみんなに訊《たず》ねた。誰がやったのか正直に言いなさい。しかし、誰も手を挙げない。ホームルームは一時間目の始業ベルが鳴っても終わらなかった。

私はノートにいたずら書きをしていたが、ふとひらめくものがあり、席を立って教室の後ろにあるゴミ箱のところに行ってみた。紙くずをどけると、その下に赤いランドセルがあった。まさか、ゴミの下にあるとは思わないための盲点だったのだ。

それで解決したと思っていると、おまえがやったのかと担任に詰問《きつもん》された。違う、と私は答えた。しかし、担任は私の言葉を信用しなかった。それなら、どうしてあんなに簡単に見つけられたのか、というのだ。私はいつもの癖で黙り込んでしまった。

放課後、担任に反省文を書きなさいと命じられた。書かないうちはいつまでも家に帰さないとも言われた。教室にひとり残された私は途方にくれ、仕方なく反省文なるものを書いた。やったのは自分ではないということ。ゴミ箱を探したのは、前日やはり校庭で遊んでいてランドセルを取りに戻ると、ゴミ箱の近くでゴソゴソやっていた男子が急に教室から出て行ったことを思い出し、もしかしたらと思ったからだということ。だから、反省のしようがないということなどを書いて職員室まで持っていった。するとそれを読んだ担任がもう帰ってよいと言った。たぶん、担任はその男子の家に寄って事実を確かめたのだろう……。

謝りにきた親子が帰ったあとで、私の説明を黙って聞いていた母が口を開いた。

「反省文にその子の名前を書いたの？」

私はうなずいた。すると、母はほんの少し顔をくもらせた。それを見て、私は仕方がなかったのだと言った。

「そう……」

母が喜んでいないことは明らかだった。しかし、私は自分がやってもいないことで残されつづけるのはいやだった。そして、同じような目にあったら誰でも同じことをするはずだ、と母に言った。

「やってもいないことで黙って叱られている人なんかどこにもいない」

すると、母が寂しそうな口調で言った。

私が驚いて母の顔を見ると、さらに沈んだ調子でこう言った。

「お父さんはそうだったわ」

そのとき、父はいつものように座卓の前に坐《すわ》って本を読んでいた。私たちの話が聞こえているのかどうか判断のつかない静かさで本に視線を落としている。少しうつむいているため、上からの電灯に照らされて、眼の周辺に濃い翳《かげ》ができている。

以前、近所の男の子に言われたことがあった。君はアイノコ？　どうして、と訊ねると、だってお父さんはガイジンだろ、と言った。私は、違うよ、と強く否定したが、そう言われれば、背の高い父は、眼の窪《くぼ》みの深さといい、高い鼻といい、かすかに波打った長めの髪といい、外国人に見えないこともなかった。

私はその父の横顔を盗み見ながら、確たる理由もなく、あるいは父だったら自分のしたことでなくても黙って受け入れたかもしれないと思った。名前を書いてしまったのだろう……。

私は卑怯だったのだろうか。私の行為は告げ口というようなものだったのだろうか。そんなことはないはずだ。しかし、放課後にひとり残された私はどうしたらよかった

そうしたことが何度か続くうちに、どちらにしたらよいか迷った場合は、母に知ら

れたときに顔をくもらせることが少なそうな方を選ぶようになった。母にとって勇敢であるということがどのような意味を持っていたのかわからないままに、私はそれがいつも黙って本を読みつづけている父の姿と無関係ではないらしいことを本能的に感じ取っていた。お父さんはそうだったわ、と母は言った。それは紛れもなく過去形だった。

奥で店番をしているおばさんに二日前に借りた本を返し、推理小説の棚の前に立った。店内はかなり暗くなっていたが、電気をつける気配もない。この店の倹約ぶりは徹底していた。

「ねえ、徹ちゃん」

おばさんが話しかけてきた。おばさんは太っているため額と頬のあいだにようやく細い眼があるという顔つきをしている。顔立ちは意地悪そうに見えるが、むしろ実直そうなおじさんよりはるかにやさしいところがあった。おじさんは、紺色の表紙の台帳に、本を貸した日にちばかりか時刻まで書き入れ、その時間より二、三時間でも遅れると半日分の超過料金を取った。しかし、おばさんはいつも時間の遅れに対しては寛大だった。しょうがないわよね、というのがおばさんの口癖だった。

私があいかわらず棚に眼をやっていると、おばさんはもういちど呼びかけてきた。

「徹ちゃん」

私が顔を向けると、おばさんは急に声をひそめ、秘密めかした調子で言った。

「ねえ、知ってる？」

黙って顔を見つめていると、おばさんはさらに声を低めて言った。

「ほら、このあいだ、お風呂《ふろ》屋さんが火事になったでしょう。覚えてる？」

このあいだといっても、それはもう一年前のことになるが、私は声に出さずにうなずいた。

「あのとき、お風呂屋さんから飛び出してきた女の人がいたでしょ」

私は棚に顔を向け直し、本を探すふりをした。その話ならあまり聞きたくなかった。

だが、おばさんは勝手にしゃべりつづけた。

「その人がうちの店に走り込んできて、びっくりしたことがあるじゃない。徹ちゃんもそのへんにいて……」

それは一年前の、やはり冬のことだった。部活のない日の午後、私がいつものように棚の前に立って本を探していると、突然、大声で叫びながら店の中に駆け込んできた人がいる。

「火事なんです！」

驚いて振り向くと、それは女の人だった。しかも真っ裸の女の人だった。胸に小さな赤ん坊を抱いていた。そのとき、店には私とおばさんの二人しかいなかった。おばさんはびっくりして立ち上がったが、どうしていいかわからないらしく、その場でオロオロと足踏みするばかりだった。しばらくして、ようやく言葉が出た。

「火事って、火事って、どこが火事なの！」

だが、女の人も赤ん坊をきつく抱きしめたまま、息を弾ませながらつぶやいているばかりだった。

「火事なんです、火事なんです……」

私も突然のことにとっさの判断ができないでいたが、女の人が震えているのに気がつくと、いくらか落ち着いて言うことができた。

「おばさん、なんか掛けてあげなよ」

しかし、おばさんはまだうろたえたまま、いつもと違う上《うわ》ずった声を出した。

「そうね、なんかないかしらね。なんか、なんか……徹ちゃん、何がいい？」

私が思いついたのは毛布だった。

「毛布は？」

あとで落ち着いて考えてみれば、おばさんの羽織っている綿入れのようなハンテンでもよかったのだが、おばさんばかりでなく私もあわてていたのだろう。

「そうね、毛布ね」

おばさんはそう言うと、バタバタという音を立てて二階に駆け上がった。押し入れから出すだけだろうに、おばさんが戻ってくるまでずいぶん時間がかかったように思えた。ようやく茶色い毛布を抱えて降りてきたおばさんは、茫然《ぼうぜん》と立ち尽くしている女の人を背中からくるんであげた。そのあとでやっと気がついたらしく、言った。

「こっちにお上がりなさい。いったいどこが火事なの？」

女の人は座敷に上がって坐り込んだとたん、あらためて恐ろしさが込み上げてきたらしく、震えがさらに激しくなった。

「お風呂屋さんが、お風呂屋さんが……」

女の人がそこまで言ったとき、遠くから消防車のサイレンが聞こえてきた。私は店の外に出て、通りの先にある風呂屋を見た。確かに、風呂屋の高い天井の脇《わき》の窓から濃い灰色の煙が出ていた。しかし、炎は出ていなかった。貸本屋とは通りをはさんで斜め向かいにある蕎麦《そば》屋の親父《おやじ》が、ノレンから首を突き出して煙の出ているあたりを眺め、これなら平気だ、と大声で店の中の誰かに言っているのが聞こえてきた。私にはその落ち着きぐあいが意外だった。風呂屋とは同じ並びで、しかも三軒と離れていなかったからだ。もし火の勢いが増して燃え広がったらひとたまりもないはずだった。ところが、その言葉どおり、消防車が二台、三台と到着すると、すぐに火は消し止められたらしく、煙の勢いも弱まってきた。私は集まってきた野次馬にまじって見物しているうちに、女の人のことをすっかり忘れてしまった。消火が終わり、ホースが片づけられ、家に帰りかけて、まだ本を借りていなかったことを思い出した。そのとたん、あの女の人はどうしただろうと気になりだした。しかし、貸本屋に戻るのはなぜかためらわれ、そのまま家に戻ってしまったのだ。

それから何日かして貸本屋に行くと、おばさんから話しかけられた。

「このあいだの女の人ね。あの人、子供を産んだばかりだったらしいのよ。だから、びっくりして、子供を抱いて飛び出してきちゃったのね」

私が黙っていると、おばさんはひとりで勝手に話を続けた。

「それほどの火事じゃなかったらしいんだけど、ボイラーのお兄ちゃんが、火事だ、火事だ、なんて大きな声で言うもんだから、気が動転しちゃったのね。子供が、子供がって、それしか頭になくて裸のまま夢中で飛び出してきちゃったのよ。しょうがないわよね、母親なんだから。でも、あんなことがあっては、もうあのお風呂屋さんには行きにくいでしょうね。このへんも歩きにくくなっちゃったけど」

　火事のため休業していた風呂屋は、その一カ月後に営業を再開した。火事はボヤに過ぎず、焼けた箇所も大したことはなかったが、警察だか消防だかにそのていどの休業はするようにと命じられたということだった。

　私が次にその女の人についての噂《うわさ》を聞いたのは風呂屋の洗い場でだった。体を洗っていると、湯舟で話をしている材木屋のじいさんと蕎麦屋の親父の声が耳に入ってきたのだ。

「このあいだの火事でよ、真っ裸で往来に飛び出していった女がいるって？」

「そうらしいですね」

「見たかい？」

「あたしが見たときはもう貸本屋に飛び込んだあとみたいでね」

「それにしても、若い女が前も押さえねえで、往来を走ったっていうじゃねえか」

「なんでも、赤ん坊を連れていたらしくてね」

「いくら赤ん坊がいたってよ、ほかの客はそんなことしなかったんだろ？」

「まあ、そうですけどね」

「いくら子供がいるったって、あれっぱかしの火事で、前をおっ広げて人前に出ようっていうんだから、このごろの女ときたら……」

じいさんはまだ何か言いたそうだったが、蕎麦屋の親父は切りがないと思ったらしく、挨拶《あいさつ》をして湯舟を出てしまった。その話を聞いているうちに、あのときの女の人の、裸の白い背中が眼に浮かんできた。そういえば、ほんとうに真っ白だった。ただ左の肩に青いアザがあった。小さな、楕円形《だえんけい》の、透きとおるように青いアザだった。しかし、どうしてそんなことを覚えていたのかわからなかった。いつの間に眼に入ってきていたのだろう。不思議だな。そう思った瞬間、不意に性器が硬直してきた。あとは湯舟に入って上がるだけだった私は困ってしまった。とにかく普通の状態になるまで湯舟には入れない。仕方なく、私はもういちど体を洗い直すことにした。眼の奥から女の人の背中を追い払おうとするのだが、そうすればするほど白い肌と青いアザがちらついてくる。ふっと眼の前に女の人が抱いていた赤ん坊の顔が浮かんできた。泣きもせず、ただ大きな眼を見開いているばかりだった。そして、小さなふっくらとした手は女の人の腕の肉を摑《つか》んでいた。私はただ惰性のようにスポンジを持った手を上下に動かしながら、その赤ん坊が摑んでいた女の人の腕の感触を頭の中でまさぐっていた……。

私がぼんやりそのときのことを思い浮かべていると、おばさんが言った。

「あの女の人ね、最近どうも見かけないと思っていたら、病院に入っちゃったんだって」

「病院？」

私は顔をおばさんの方に向けた。

「そう精神病院に」

「ほんと？」

「ほんとらしいわ。気がおかしくなっちゃったんだって」

「ほんと？」

私はもういちど同じ言葉を繰り返した。

「うん。あれくらい近所の人に噂されればおかしくもなるわよね。まわりは聞こえないようにしゃべっているつもりでも、やっぱり耳には入ってくるからね。旦那《だんな》さんだって、はじめはよくぞ子供を守ってくれたと感謝していても、いろいろ言われれば、いやな思いや恥ずかしい思いをするだろうからね。本人ならなおさらだろうしね。だんだん変になって、とうとう入っちゃったらしいのよ」

私はまた本を探すふりをしたが、題名など少しも眼に入ってこなくなった。胸が痛いように苦しくなってきた。

「かわいそうにね、赤ちゃんとは離れればなれだって」

「そう……」

私はようやくそれだけ言うと、本を借りずに貸本屋を出た。どうして気が違わなくてはならないのだろう。どうしてみんなから嘲《あざけ》られなくてはならないのだ。ただ子供を助けたいと思っただけなのに……。そして、私は風呂屋で噂話をしていた材木屋の前を通ったときに思った。ここのじじいが、ここのじじいたちがあの女の人を狂わせてしまったのだ、と。

その夜、洗い場で湯をかぶりながら、私は鏡の中の常連客をにらみつけるように見ていた。こいつらがあの女の人を狂わせてしまったのだ。無責任な噂話を楽しんだあげく、精神病院に入れてしまったのだ。あの女の人から赤ん坊を引き離してしまったのは、こいつらなのだ。そう思うと、腹立たしさでまた胸が苦しくなってくるようだった。左隣に腰かけている八百屋の親父は、腕も胸もシミだらけの年寄りと相撲の話をしている。こいつらが気を狂わせてしまったのだ。熱い方の湯舟では、材木屋の隣にあるスナックのマスターが、汗を流しながら顎《あご》まで湯につかっている。あのマスターは、いつだって、脱衣場で誰かと噂話をしている。あいつが気ちがいにさせてしまったのだ……。

五杯目の湯をかぶると、私は勢いよく立ち上がった。私は自分でもわけがわからないほど凶暴な気分になっていて、いつもは決して入ることのない熱い方の湯舟に向かって歩いていった。私が片足を突っ込むと、髪の薄いスナックのマスターはいかにも熱そうに眉《まゆ》をしかめた。確かに熱かった。湯の中に体を沈めると、全身に鉄条網が巻きつけられ、少しでも動こうものならその針先が皮膚に突き刺さってくるようだった。しばらく二人ともじっと動かずにいた。ところが、そこにシミだらけの年寄りがやってきて、湯を手で大きくかきまぜると、ざぶんと勢いよく入ってきた。とたんに体中に無数の針が突き刺さってきた。

「うっ」

熱いのか痛いのかわからないまま、私は思わず声を出してしまった。年寄りは私の顔を見て、無理をしなさんなというように笑った。私はその笑いを無視して、顔を脱衣場の方に向けた。

そのとき、あの男が入ってきた。今日こそはと早めに来ていたのに、また会ってしまった。私はがっかりしながら男の服を眼で点検した。今日はコートの下にピンクのネグリジェを着ている。透きとおったレースのようなものを何枚か重ねてあるネグリジェだ。そして、額には大きなリボンが蝶《ちょう》結びにされている。化粧の毒々しさはいつもと同じだった。

男の姿を見つけたのは私だけではなかった。

「気ちがいかね」

シミだらけの年寄りが、スナックのマスターに訊ねかけた。

「いや、商売ですよ」

マスターが軽蔑《けいべつ》したように答えると、年寄りが不思議そうに訊《き》き返した。

「商売?」

「駅の裏で立っているんですよ」

「立ってる?」

「キャバレーの看板持って」

「それじゃあ、サンドイッチマンということかい」

「まあ、そうですね」

「あんな格好して恥ずかしくないのかね」

「通行人の眼さえ引けば、どんな格好でもするんでしょ、ああいう奴《やつ》らは」

「あんな気味の悪い奴が看板を持っているような店に、客は行く気になるのかね」

「何か面白いことでもあるんじゃないかと思うんでしょうね」

「へえ」

シミだらけの年寄りは信じられないというように何度も大袈裟《おおげさ》に頭を振って見せた。

脱衣場の男は、リボンを取ると、体をくねくねと揺すりながらネグリジェを頭から脱いだ。ネグリジェの下は男物の股引《ももひき》だった。

「なんてえ、格好だい」

年寄りがつぶやくと、マスターも相槌《あいづち》を打った。

「まったく」

私は湯舟を出て、自分の洗い桶《おけ》が置いてある鏡の前に戻った。ガラス戸をあけて洗い場に入ってきた男は、私の姿を見つけると当然のように近づいてきて、空いている右隣に坐《すわ》った。私は内心ひどく迷惑に思いながら、男と視線を合わせないようにして体を洗いはじめた。すると、男が嬉《うれ》しそうに声を掛けてきた。

「あら、おにいさんもこれから」

私は仕方なしにうなずいた。

「早めに切り上げてきてよかったわ」

私が返事をしないで黙っていると、男は誰にともなくつぶやいた。

「ネグリジェは寒くてね……」

男は顔の化粧を落とすと湯舟に入りにいったが、すぐに出てきた。隣に坐り、自分もタオルで体を洗いはじめたが、鏡の中で私が腿《もも》から腰にかけてスポンジを動かしている様子をじっと見つめているような気配が感じられた。そして、私が体を洗い終わり、湯をかぶり、背中を洗うためにタオルを伸ばして石鹸《せっけん》をぬりはじめると、突然、男が言った。

「おにいさん、背中を流させて」

私がびっくりして男の方に顔を向けると、上体をくねらせながら顎を引き、斜め下から見上げるような眼つきをして、また言った。

「背中を洗うんでしょ。あたしが流してあげるわ」

まわりの客が耳をそばだてているような気がした。私は恥ずかしくなり、男に腹を立てた。余計なお世話だ。背中くらいひとりで洗える。いいです、と強い口調で断ろうとして、急にさっきの凶暴な気分が甦《よみがえ》ってきた。この男は、ほんの少し前も、常連の客たちに馬鹿《ばか》にされ、もの笑いの種にされていた。男の癖に女の洋服など着て、化粧までしている。くねくねと体を動かし、気持の悪い話し方をする。ほとんど気ちがいだ。私もそう思う。しかし、だからこそ、断ってはならないのかもしれないのだ。断れば、あいつらと同じになってしまう。あの女の人を気ちがいにしてしまった、あいつらとまったく同じになってしまう……。

私はまわりの客たちに挑むようなつもりでうなずいた。

「そう。それじゃあ、洗うわね」

男が弾んだような声で言った。一瞬どちらのタオルで洗うつもりなのか気になったが、男は私の手からタオルを取ると、私の石鹸を使ってぬり直した。そして、後ろにまわると、手のひらで背中をすっとなでた。私はびくっとして背筋を伸ばした。

「いい体してるわね」

男が言った。しかし、いい体と言われるような体でないことは自分でよくわかっていた。背だけ伸びて体重がついてこない。胸にも腰にも筋肉がほとんどついていない。まるで細い棒みたいな痩《や》せっぽちだ。

「痩せてるさ」

私が言うと、背中でゆっくりタオルを上下させながら、男が言った。

「いいのよ、これくらいで」

私が黙っていると、また男が言った。

「いまに肉はついてくるわ、いやだってね。でも、こんなときはいましかないのよ」

鏡に映った私の体の向こうに、くねくねと動く男の体と、タオルを上下させている浅黒い両腕とが見え隠れしていた。それが樹木にからみつくツタを連想させたのは、私よりはるかに逞《たくま》しい体をしているにもかかわらず、何かにもたれなければ立っていられないような不安定さが感じられたからかもしれない。

男は私の背中をゆっくり時間をかけて洗った。私は周囲の視線を背後に強く感じていた。そのためことさら長く感じられたということもあったのだろう。ようやく洗い終わると、洗い桶に湯を入れて流してくれた。一杯、二杯、三杯、四杯……。数えているうちに、それがいつまでも続きそうな不安を覚えたので、七杯目を掛けてもらったところで私は礼を言った。

「ありがとう」

「どういたしまして」

男はようやく湯を掛けるのをやめて答えた。そして、ひとりごとのようにつぶやいた。

「誰だって背中はうまく洗えないものね」

自分の桶の前に坐って体を洗いはじめた男を鏡で見ながら、私も背中を洗い返してあげるべきなのかどうか迷った。しかし、いくら周囲の客に対して挑戦的な気分になっていたといっても、そこまではできそうになかった。男は、私のためらいを見すかしたかのように、鏡の中で笑った。やはりその笑いは泣き笑いのように見えた。どうしてこの人は笑っても泣いているように見えてしまうのだろう、と私は不思議でならなかった。

第三章

1

木曜日は一時間目からこまかい雨が降っていた。二時間目に入って、教室の中はようやく暖かくなってきたが、外はひどく冷たそうだった。私はいつものように頬杖《ほおづえ》をついて窓越しに校庭を眺めていた。グラウンドの乾いた黄土色のところも時間がたつにつれて湿り気を帯びて黒く変わっていく。一時間目にはまだ体育の授業をやっているクラスもあったが、この時間はもう誰も出ていない。校庭から体育館での授業に切り換えられてしまったのだろう。

午前中とは思えないほどの薄暗さに、体育館には明かりがついている。ときどき天井にちかい曇りガラスの部分にボールの影がうつる。どこかのクラスの女子がバレーボールをしているらしい。山なりのボールが右に行ったり左に行ったりするのを眺めていると、どちらのチームに得点が入ったのかがわかる。スパイクなどという気の利《き》いたことはできないはずだから、山なりのボールを返せなかった方がポイントを取られたに決まっているのだ。

そのとき、教壇から弾《はじ》けるような笑い声が上がった。甲高い、よく響く声だった。見ると、何がおかしいのか英語教師の吉岡《よしおか》がひとりで笑っていた。

吉岡は学校でも最年長の部類に属する教師だった。体はこれ以上痩《や》せようがないというほど痩せており、服からのぞいている部分はどこも羽をむしられた鳥のように薄い肉から骨が浮き出ていた。右手にはいつも五十センチほどの赤いプラスチック製の棒を持ち、廊下を歩いているときも、教室で授業をしているときも、つまらなそうな顔で振りまわしている。

授業はいつも同じだった。教科書をパラグラフごとに読ませ、訳させる。それしかやらない。訳せないと大きな声で怒鳴りつけ、手にしたプラスチックの棒で頭をポンと叩《たた》く。そのときの気分によって、それがパチンということもあれば、左手で大きくしならせてからピシャリということもある。それをやられると棒のあとが残るくらい痛いということだったが、私には経験がなかった。当てられてもまともに訳せたことはなかったが、なぜか叩かれたことがなかった。

吉岡は、授業中ばかりでなく、どこにいても奇声を発し、大声で笑い、気に入らないことがあると額の横に青筋を立てて怒鳴った。しかし、その怒り方もどこまで本気なのかわからないようなところがあった。怒っているうちに突然笑い出し、また怒り出すという具合だった。生徒たちはお天気屋の吉岡を怖がり、嫌っていたが、私はどこか憎みきれないものがあるのを感じていた。

それがどうしてなのかわかったのは半年前の夏のことだった。

そのころ、私は毎日のトレーニングに、学校から五キロ離れた河原までのランニングを加えるようになっていたが、ある日、あまりの暑さに走りながら朦朧《もうろう》としてきたことがあった。危険を感じた私は、ちょうど通りかかった区立図書館に避難することにした。

図書館の内部は冷房がきいていたが、なかなか汗が止まらない。そこで、さらによく冷えていそうな開架書庫に入って涼むことにした。床に坐《すわ》り、意味もなく本を抜き出しては表紙を眺めるというようなことを繰り返していると、黄色く変色した古い一冊に見覚えのある名前を見つけた。それは戯曲のアンソロジーで、七編の作品のうちの一編の作者として吉岡の名前があったのだ。しかし、同姓同名ということもある。調べてみると、本の終わりのページにあった著者紹介の欄に「中学教諭」と職業が記されていた。あの吉岡は戯曲を書いていたのだ。そのことは意外だったが、知ってみると、なるほどそうだったのかという気にもさせられた。

戯曲が書かれたのは二十年も前のことらしく、高校の職員室を舞台にしたものだった。学外で傷害事件を引き起こした男子生徒の処分をめぐって職員室が二つに割れる。主人公の英語教師は男子生徒を守ろうとする側につくが、結局、力及ばず退学処分となってしまう。校門の前で、主人公と男子生徒が別れの言葉を交わす。退学になった男子生徒が晴れ晴れとしているのに対し、主人公の教師は取り残されたような寂しさを味わう。もしかしたら、吉岡はこれに近いことを実際に経験したのかもしれなかった。しかし、二十年前はともかく、中学生の私にもさすがに陳腐な筋に思えた。ただ、その男子生徒がいっさい弁明しないため、本当に傷害事件を起こした犯人なのかどうか最後までわからない、という仕組みになっているところが面白いと言えば言えないこともなかった。あるいは、もっと深いテーマが隠されていたにもかかわらず、私が読み取れなかっただけなのかもしれない。だが、いずれにしても、吉岡が内面の何かを隠すために装《よそお》っているらしいことはわかった。

その日以来、私の吉岡を見る眼は変わった。注意して見ていると、吉岡がお天気屋の英語教師という役を演じているだけのように思えてきた。そして、あらゆることにとても退屈しているらしいことがわかってきた。朝礼のときも、校長や教頭がつまらないことを話していると、いつものプラスチックの棒を振りまわしながら、生徒の列にふらふらと入っていき、真面目《まじめ》に聞いていろ、などと言ってまわる。だが、それも、自分が馬鹿《ばか》ばかしい話を聞きたくないための退屈しのぎにやっているということがわかってきた。そして、その空騒ぎには、傷ついて地におちた鳥の羽ばたきにも似た痛々しさが感じられた。

あるとき、校長が駅前の盛り場で遊ぶのはやめよう、遊んでいる生徒を見かけたら生活指導の先生に連絡するように、といったお説教をしていると、吉岡が私たちのクラスと隣のクラスの列のあいだを通って歩いてきた。列のいちばん後ろに立っていた私は、吉岡と眼が合うと、校長の方にちらりと視線を向け、参ったなあというように肩をすくめた。すると、吉岡は声を出さずに笑ってかすかにうなずいた。私は少し嬉《うれ》しくなった。自分の理解の仕方が間違っていないようだったからだ。もちろん、だからといって別に英語の勉強に精を出そうなどとは思わなかったが、吉岡の怒鳴り声や甲高い笑い声を聞くのがいやではなくなった。

ある日の授業で吉岡にいきなり指された。訳さなければならないパラグラフが先生と生徒との会話だということは挿絵でわかったが、しゃべっている内容がどんなものなのかはよくわからない。しかし、私は、とっさに訳しはじめた。

「スミス先生――力になれなくて悪かった。

ジョン――いえ、ぼくはようやく狭い籠《かご》から抜け出ることができたんです。スミス先生――確かにそうかもしれない。しかし私はその狭い籠の中にこれからもずっといなくてはならないんだ……」

そこまで訳すと、唖然《あぜん》とした表情で私を見つめていた吉岡が不意に爆発するように笑い出した。そして、しばらくして笑いの衝動が収まると、私に向かって、よし坐れ、と言い、同じ箇所を別の生徒に訳させはじめた。それ以来、吉岡の私を見る眼が違ってきた。少なくとも私にはそう思えるようになったのだ。

私はまた視線を黒板の前の吉岡から窓の外に向けた。よく見ると、こまかい雨がみぞれに変わっていた。このまま雪になるのだろうか……。そう思いながらぼんやり外を眺めていると、突然、吉岡が私の名前を呼んだ。私は仕方なく立ち上がった。

「次、読んでみろ」

吉岡が笑いながら言った。私は閉じたままになった教科書を広げた。しかし、どこをやっているのかさっぱりわからない。すぐ前の席の女子が、前を向いたまま小さな声で教えてくれた。

「二十一ページの七行目よ」

私が言われた通りのところを読み出すと、吉岡の怒鳴り声が飛んできた。

「どこを読んでいるんだ、この馬鹿が！」

そして、教えてくれた女子に向かって言った。

「教えるなら、きちんと教えろ！」

彼女はあわてて私の方に体を向け、私の教科書の開いたページをのぞき込むと、顔を赤くして言った。

「違うわ、ただの二十一ページではなくて、百二十一ページ」

それを聞いて教室中から笑い声が起こった。彼女はきっと百はつけなくてもわかっていると思ったのだ。事情を飲み込んだ吉岡が、甲高い声を出した。

「学年末だというのに、いまごろそんなところをやってるはずがないだろ、馬鹿」

そう言うと、私の近くまで歩いてきて、プラスチックの棒でピシリと頭を叩いた。

私とは背の高さが違うため、吉岡は伸びあがるような格好になった。

「痛っ！」

私は口に出して言った。別に口に出すほどの痛さではなかったが、思わず口をついて出てしまったのだ。どうして叩かれるかわからなかった。これまでは、ろくに読むこともできず、ほとんど訳せなくても、いつも笑って見逃してくれていた。それが、吉岡の、この学校での恐らく唯一《ゆいいつ》の理解者である私への密《ひそ》かな友情の示し方なのだ、と思っていた。私にはなぜ吉岡があんなふうに学校における時間をやり過ごしているかわかっていた。そして、私がわかっているということを吉岡もわかっている。それが私たちの間にゆるやかなつながりの意識を生み出している。そう思っていた。だから吉岡は私を叩かないのだ、と。しかし、それはこちらの勝手な思い込みだったらしい。その誤解に対する自分への腹立ちが、私に声を上げさせたのかもしれなかった。

すると、吉岡は皮肉な笑いを浮かべて言った。

「痛いか」

そして、もういちど構えると、こんどは左手で棒をしならせて、弾くようにして叩いた。音は鈍かったが痛かった。吉岡も何かに苛立《いらだ》っていたのかもしれない。だが、私には裏切られたといういまいましさがあった。

「痛《いて》えなあ」

私はことさらゆっくりした口調で言った。その瞬間、クラス中に緊張が走った。私の声に怒りがにじんでいるのがわかったからだった。どうなることかと息をつめるようにして見ている。私は、吉岡にあとひとこと何かを言われたら、それ以上に激しいことを口走ってしまいそうな気がした。

そのとき、前方に視線を感じた。眼を向けると、前から三列目に坐っている学級委員の宮本真理子が不安げにこちらを見ていた。面白半分の眼ではなかった。どうして宮本があんな眼で見ているのだろう。私は不思議だった。

彼女はクラスでいちばんの秀才だった。いや、もしかしたら全校一だったかもしれない。国立の付属高校を受験することになっており、教師たちに間違いなく合格すると太鼓判を押されていた。休み時間も惜しんで勉強していたが、すべてに控えめだったので、男子からも女子からもそのガリ勉ぶりを嫌われることがなかった。

宮本の視線が気になったとたん、吉岡に対するいまいましい気分がふっと薄らいでしまった。

「ここを読むんですか」

私がぶっきら棒に言うと、教室にほっとしたような、がっかりしたような空気が流れた。宮本がちらっと口元をほころばせるのが見えた。私はことさら大きな声で読みはじめた。つっかえながら段落をひとつ読み終わると、吉岡が言った。

「訳してみろ」

私には全然わからなかった。ドリームとブルーという単語が繰り返し出てきているということはわかった。

「彼女は悲しい夢を見た。彼が青い空と青い海のある遠い国へ行ってしまう夢だった」

私がまったくでたらめに訳しはじめると、吉岡がけたたましい声で笑い出した。

「それで、その女はどうなったんだ？」

「彼女は夢から醒《さ》めると彼を殺そうと思った」

前日貸本屋に返した推理小説を思い浮かべながら口からでまかせを言うと、吉岡はいつまでも笑いつづけた。その笑いは、壊れた関係の修復を求めているようにも思えたが、私はそれを受け入れる気にはなれなかった。

2

みぞれは雪にならないまま午後には上がったが、夜になると急激に冷え込んできた。家から外に出るとすぐに手が冷たくなってきた。私はプラスチック製の洗い桶《おけ》を左手に持ちかえ、空いた右手をジーンズの尻《しり》のポケットに突っ込んだ。かじかんだ指に粗い布地を通してかすかに体温が伝わってくる。しかし、洗い桶を持った手はすぐに冷たくなってしまう。

通りは静まり返っていた。道の両側の商店はどこもシャッターを下ろし、人通りもまばらなら車の往来も途絶えがちだった。象の皮膚のようにひび割れ、かさかさに乾いたアスファルトの舗道が、水銀灯の青白い光を堅くはね返している。眼を細めて灯りをみると、夜の冷たい空気に放射状の光の糸がこなごなに砕かれ、霧のようになった小さな粒が空中で氷づけにされていた。

一本の水銀灯の下に鈍く光るものがあった。近寄ってみると、水溜《みずた》まりだった。それが夜明けでもないのにもう凍っていたのだ。私は氷の上から軽く踏んでみた。薄くパリンと音立てて割れるものと思っていると、意外と強い力ではねつけられた。力をこめて踏みつけたがびくともしない。あたりを見まわすと、自動販売機のそばにジュースの空き缶が転がっていた。缶を手に、私はその氷の前にしゃがんだ。円筒形の缶の先でコツコツと叩《たた》くと、かすかに傷がついた。しかし、よほど芯《しん》まで凍っているらしく、傷はついても表面が白く濁るだけでヒビすら入らない。こんな時間に、しかもこんなに硬く凍ってしまうということに、私はなにか裏切られたような気がした。

「チクショウ！」

声を出して斜めに強く缶を叩きつけると、硬く凍った氷の表面が少し削り取られた。削り取られた氷はかき氷のように白く光った。もういちど力を込めて缶を叩きつけると、また少しかき氷が削れた。それを見て、チクショウ、チクショウとつぶやきながら私は夢中で缶を振るいつづけた。

かき氷がコップに一杯くらいまで溜まったとき、若い男がこちらをのぞき込むようにして通り過ぎていった。その男の手に洗い桶があったのを見て、私はようやくこんなことをしていると風呂屋《ふろや》が閉まってしまうかもしれないということに気がついた。

私が夜更《よふ》けの風呂屋に行くようになったのは、受験勉強を始めた去年の十一月以来のことだった。それまでは陸上部の練習が終わって家に帰るとすぐに風呂屋に行っていた。

私たちの中学では、夏の大会が終わると、三年生はクラブ活動をやめることになっていた。二学期からは受験勉強に専念するためだ。部長を二年生にゆずり、練習にも出なくなる。それを私たちは引退と呼んでいた。どのクラブも秋から冬にかけては三年生の姿を見かけなくなる。それは学校内での不文律のようになっていた。しかし私は夏が終わっても引退しなかった。受験勉強のために練習をやめるなどという気にはなれなかった。休んでいる半年のあいだに他校のライバルたちに差をつけられたくないという思いもあったが、とにかく跳ぶことが面白かったのだ。だから私は、秋に入っても、依然として一、二年生と一緒に練習を続けた。
私にそんなことが可能だったのも、ひとつにはすでに進学先が決まっていたという
ことがあった。夏の大会が始まる直前に、隣接する区の陸上競技の名門高校から、中学の陸上部の顧問の教師を通じて勧誘の話が舞い込んできた。私はできるだけ陸上競技に専念したいという気持が強く、私たちの学校では最も出来の悪い生徒ばかりが行くその私立高校に入ることにした。受験勉強をしなくてすむということのほかに、入学金が免除になるというのにも心が動かされた。そのうえ、私をスカウトしてくれた高校の監督は、中学の陸上部の顧問の教師に、自分のもとに来れば、高校で一、二の選手にしてみせると断言したという。
二年の夏まで私は野球部でショートを守っていた。そこに、転任するたびにその中学を陸上部の有名校にしてしまうという体育の教師が現れた。授業ではボール競技などいっさい無視し、徹底して陸上競技の種目だけを教えた。短距離走、中距離走、走幅跳び、走高跳び、砲丸投げ……。どれも本格的だった。思えば、それによって素質のある生徒を捜し出そうとしていたのだ。二学期が始まってすぐ、私はその教師に呼び出され、秋に行われる区の陸上競技大会に出てみないかと勧められた。種目は二百メートルと走幅跳びだという。野球部の練習のあとで二、三十分こちらに付き合うだ

けでいい、野球部の顧問には話をつけてあるから、と言った。大会が終われば、あとは好きなようにしていい、とも言った。よほど体育教師の勧め方がうまかったのだろう。私はまったく興味がなかったはずの陸上競技を、大会までの一カ月間だけやってみることにした。

結果は、二百メートルで五位、走幅跳びで二位だった。それですべては終わるはずだった。しかし、そうは簡単にいかなかった。陸上部の顧問の教師は、次は都の大会だと言った。野球部が秋の大会で二回戦にも進めず敗退していたこともあって、私は教師の望みどおり都の大会に出場した。そして、走幅跳びでは、一年のときから陸上競技に専念していたに違いない大勢の選手たちに混じって、決勝の八人に残ってしまった。六位入賞は逸したものの、教師は大喜びだった。そして気がついてみると、いつの間にか野球より走幅跳びに熱中している自分がいた。冬のあいだは野球部と陸上部の掛けもちをしていたが、三年になると正式に野球部をやめ、陸上部に移ることにした。

私は陸上部で練習するようになって、これこそ自分に向いたスポーツだと思った。そうでもなければ、たった一度か二度の競技会でまずまずの成績を収めただけの私が、幼いころから続けてきた野球をやめてまでして陸上部に移るはずがなかった。

全員で軽いジョギングをしたあとで、体をほぐす柔軟体操をする。これは野球部も陸上部も同じだった。違うのは、そのあとも野球部が集団で練習するのに対し、陸上部はトラックとフィールドに分かれ、さらにそれぞれの種目に分かれることだ。他に走幅跳びを専門にする選手がいなかったこともあって、私の場合は最終的にはたったひとりで練習することになる。学期の始めだけは顧問の教師とトレーニングの計画を練るが、あとはそれぞれの自主的な工夫に任される。野球部と違って、顧問や先輩などがうるさくコーチを買って出ない。それが私にはありがたかった。他に走幅跳びを専門とする選手がいないというだけでなく、たったひとりの走高跳びの選手もあまり練習熱心ではなかったので、校庭の砂場はほとんど私ひとりのものになった。

踏切板から三十七メートルのところに小さな石が埋め込んである。そこが私のスタート地点だ。体をわずかに前傾させ、左足を半歩前に出し、リズミカルに重心を前後に移動させてスタートのタイミングを測る。頭の奥にかすかなしびれのようなものを感じ、胸元に何かが込み上げてきそうになった瞬間を捉《とら》え、私は走りはじめる。左右の足が気持よく回転し、徐々にスピードが上がってくると、ただ風を切る音だけが耳に入ってきて、砂場が急速に近づいてくる。加速のついた体は少しずつ起き上がり、最高のスピードで踏切板に到達する。左足のスパイクで強く板を叩き、右足を大きく前に踏み出すと、それからの一秒か二秒、私は宙を歩くことになるのだ。

三年生の夏の大会が終わり、秋に入ってからのトレーニングは、ほとんどが走力と筋力をつけるためのものになっていたが、最後に跳ぶことにしていた六回ほどの跳躍の瞬間は、練習とはいえ心が躍った。

ところが、十月の末になって、突然、私は跳べなくなってしまったのだ。私が練習を休むのを知って後輩の部員たちは誰もが驚いた。顧問の教師からもどうして跳ばないのだと訊《たず》ねられた。だが、理由を言っても誰にも理解してもらえそうになかった。跳ばないのではなく、跳べないのだ。そしてそれは、足の故障のように、時間がたてば治り、また跳べるようになるという性質のものではなかった。たぶん私はもう跳ぶことはできないだろう。かりに跳ぶことはできたとしても、大きく記録を伸ばすことはないだろう。そう思えてきた。

記録を更新できないとわかっているのに陸上競技を続ける気にはなれなかった。スカウトしてくれた高校は私を陸上競技の選手として受け入れてくれるのだ。跳ぶことのできなくなった私などに価値はないはずだ。もちろん、黙っていればそのまま入学できないことはないが、いずれ嘘《うそ》はばれてしまうだろう。それに、その高校は、嘘をついてまでして入るような学校ではなかった。

しかし、どうしたらいいのか。他の私立高校へ行くため父に高い入学金を払わせるのは気が進まなかったが、かといって私に都立高校へ入れるほどの学力があるとも思えなかった。学校の成績はひどいものだったから、合格するためにはよほど試験の点がよくなければならない。ほとんど絶望的だったが、他の私立に行かないとしたら、とにかく受験勉強をするより仕方がないのかもしれない。私は陸上のトレーニング計画を作るような要領で、向こう四カ月間のスケジュールを組んだ。

夜、勉強していると眠くなってくる。そこで、眠気ざましに風呂に入ることにした。家にも風呂はあったが、母がいなくなってからは旧式の風呂釜《がま》で風呂を焚《た》くのが面倒になり、父も私も近所の風呂屋に行くようになっていた。その風呂屋に、夜の十時過ぎに行くようにした。風呂に入ると、帰ってきてから、また二、三時間は勉強ができたからだ。机に向かい、風呂屋に行き、また机に向かう。そのようにして一カ月ほどはまじめに勉強を続けたが、やがて馬鹿《ばか》ばかしくなってきた。参考書を広げても、こんなことをいくらやっても無駄なのだ、と思えてきてしまう。勉強も、高校も、そして自分自身も、すべてが無意味に思えてくる。そして、十二月も半ばになると、すべてがどうでもよくなってきた。勉強にはほとんど手がつかなくなってしまったが、毎晩十時過ぎに風呂に行くという習慣だけは残った。そしてその時間も、少しずつ遅くなっていた。

あるいは夜の湯というのは不潔なのかもしれなかった。だが、習慣ができてみると早い時間の風呂よりはるかに落ち着いて入ることができた。

常連はやはり周辺の商店主が多かった。店を閉め、食事を終えてから、一日の汗を流しにくるようだった。それ以外にも、決まってこの時間帯に来る会社員風の若い男や、背中に彫り物をしている中年の男や、どこかの隠居らしい老人などもいた。

夜になると、洗い場に立ち込めた湯気にかすんで、高い天井からぶら下がっている電灯も明るさが落ち、客の体の輪郭がぼんやりとしか見えなくなる。私はその淡く柔らかな光の中にいると安らぎを感じられた。他人の眼に自分の体をさらすのもいやだったし、他人の裸を見たくもなかった。とりわけ日ごとに変化しているような自分の体は、ひょろりと伸びてしまった手足も、なかなか肉のつかない胴体も、黒い毛に包まれた性器も、アンバランスで不気味に見えた。だから、脱衣場で鏡に映った自分の体を熱心に眺めている若い男などを見かけると信じられない気持になった。裸は、自分のものも、他人のものも、どこか恥ずかしかった……。

私は長く湯につかっていた。どうやらあの男の姿が見えないことがゆったりとした気分で入っていられる理由のようだった。

脱衣場に上がり、体をふいてから、番台に坐《すわ》っている親父《おやじ》の前に金を置き、冷蔵庫から勝手に牛乳を取り出した。私が籐椅子《とういす》の横に立って飲んでいると、いつもと同じく女の格好をしたあの男が勢いよく入ってきた。私を見つけると、歯を剝《む》き出すようにして笑いかけてきた。

「寒いわね」

私はどう応じていいかわからず曖昧《あいまい》にうなずいた。すると、男は歌うように言った。

「寒い、寒い。寒いのはいやね」

私は残りの牛乳を一気に飲みほし、冷蔵庫の横の木箱に瓶を入れてから、ロッカーを開けた。腰を折ってパンツをはき、頭を起こした瞬間、急に眼の前が暗くなった。同時に全身から冷や汗が出てきたような気がした。どうしたのだろう。頭を振ると、動悸《どうき》が速くなり、胸が苦しくなってきた。どうしたのだろう、いったいどうしたのだろう……。

「どうしたんだろう……」

口に出してみたが、どうにもなりはしなかった。私は床に膝《ひざ》をつき、手をついて我慢していたが、ついに我慢できず、仰向けになって倒れてしまった。

「どうしたの！」

男の声がして、駆け寄ってくるのがわかった。

「どうしたのよ、おにいさん」

閉じた眼の上で男が呼んでいた。横になるといくらか楽になり、眼を開けることができた。板の間のひやりとした感触が裸の皮膚に心地よかった。

「しっかりして」

男の言葉に私はうなずこうとしたがうまくいかなかった。

「どうしたのよ」

「なんだか……眼の前が暗くなってきて……」

そう答えるのがやっとだった。

「顔色が悪いわね。真っ青よ。どこか痛いところはない？」

倒れるときは胸が苦しいような気がしたが、もう平気だった。ただ眼を閉じていないと頭がクラクラしてきそうだった。私は眼を閉じながら虚勢を張って言った。

「痛くはない、どこも。平気だから……」

まわりに人が集まってくるのがわかった。

「めまいがしたの？」

男がそう言い、私がうなずくと、額に手のひらを触れてきた。厚みはあるが、冷たい、さらっとした手のひらだった。

「わかったわ、きっと貧血ね」

「貧血？」

私は訊《き》き返した。

「そう貧血。立ちくらみていどかな。大したことじゃないわよ」

そういえば、よく朝礼のときなどに、少し校長の話が長引くと、気分が悪くなったという女子生徒が、友達に抱えられるようにして保健室に行ったりしていた。それを貧血と呼んでいたようだが、まさか自分がそんなものに縁があろうとは思ってもいなかった。せいぜい年にいちど風邪を引くかどうかというくらいなのに、その私が貧血になるなんて。私は自分の体がわけのわからないものになっていくような不安を覚えて、思わずつぶやいてしまった。

「貧血……」

「大丈夫、あんたくらいのときはよくあるのよ」

男が私の気持を読み取ったように言った。

「平気かな？」

別の男の声がした。どうやら番台から親父が降りてきたようだった。そういえば、この親父の声を聞くのは初めてかもしれないな。そんな考えが頭をよぎったとき、気分がだいぶ落ち着いてきたのがわかった。

また眼を開けると、眼の前に男の顔があった。起き上がろうとすると、男は肩を押さえるようにして言った。

「もう少し横になっていなさい」

そして私のジャンパーを体の上に掛けてくれた。シャツを丸め、首の下に突っ込んだ。そうすると、頭が下がるかたちになり、気分がいくらかよくなってきた。すべてが手慣れていた。

しばらくして、私が起き上がると、腕を取って籐椅子に坐らせてくれた。

「気分、いくらかよくなった？」

男が顔をのぞき込むようにして言った。私がうなずくと、いつもの泣き笑いのような表情を浮かべて言った。

「よかった。でも、しばらくここに坐っていなさいね」

私は素直にうなずいた。

「すぐ出てくるから、待っててね」

どうしてそれまで待っていなければならないのかと思いかけたが、またうなずいた。男は、コートとセーターとスカートとストッキングと下着を脱ぐと、あわただしく洗い場に入っていった。

休み休み服を着ながら、どうしたんだろう、と私は考えた。自分の体が以前と違うものになってしまったとは思えなかった。きつい練習をしない分だけ体は楽になっているはずだった。考えられることといえば、睡眠時間だった。夜遅く風呂《ふろ》に行くようになってから、寝るのは午前二時を過ぎるようになっていた。以前は零時を過ぎるとどうしても起きていられなかった。だから七時間はたっぷり眠っていられた。ところが、最近では四、五時間という日が珍しくない。そうだ、睡眠時間が少なくなったためなのだ。そう思いついたことで、私は少し安心した。

服を着終わり、椅子に坐っていると、男が洗い場から出てきた。

「待った？」

そう言われて私は奇妙な気持になった。別に待っていたわけではなかったからだ。紙袋から出した男物の服を手早く身につけ、その袋に女物の衣装を入れると、男はさも当然といった調子で言った。

「お待たせ。さあ、行きましょう」

私はどうして一緒に帰らなければならないのだろうと頭の片隅で考えながら、しかし椅子から立ち上がっていた。

ノレンをくぐると、男はすぐ肩を並べてきた。背は私よりかなり低かった。

「寒いわね」

男が言った。私は黙っていた。しかし、男は気にしたふうもなく、ひとりごとのように言った。

「寒いと困るわ」

「どうして？」

訊き返してしまってから、余計なことだったかなと思った。

「仕事にさしつかえるの」

また私が黙っていると、男が言った。

「平気？」

それが私の体についての言葉だということに気がついて返事をした。

「うん」

「よかったらうちで休んでいらっしゃいよ。このすぐ近くだから」

「うちもすぐだから」

「あら、あんたのうちより、あたしのうちの方がずっと近いわよ」

私はその言葉に驚いた。

「うち、知ってるの?」

「知ってるわよ。いちどあんたが階段を昇っていくとこを見かけたもの。あそこの四階建てでしょ?」

男はそう言って私の住んでいるアパートのあたりを指さした。

「うちへいらっしゃいよ。そこを曲がればすぐだから」

男がまた言った。

「いいです」

私が少し強い口調で言うと、それ以上、無理にとは言わなかった。しかし、曲がり角になっても曲がろうとしない。そのまま肩を並べている。不思議に思って顔を見ると、男が言った。

「送っていくわ」

「もう大丈夫だから、いいです」

「いいのよ、送りたいんだから」

私は迷惑に感じたが、断るわけにはいかないような気がした。それにアパートはもうすぐだった。

「それじゃあ」

アパートの階段の下で私が言うと、男もあっさりした口調で言った。

「それじゃあ、またね」

またね、というところで男はまた泣き笑いのような顔をした。

3

翌朝、眼を覚ました私が最初にしたのは、体のどこかに異常が残っていないかどうか調べることだった。寝たままの姿勢で体の中に意識を送り込み、それをセンサーのようにして全身を調べた。しかし、いつもの自分と違うところはまったくないようだった。手足を大きく伸ばしてみたが、体の奥にも、手足の先にも、どこにも異状は感じられない。それでも、起きてしばらくは昨夜のことが頭のどこかに引っ掛かっていたが、学校に行き、昼休みにデッドボールで汗を流すころにはすっかり忘れてしまっていた。

六時間目は音楽だった。古いステレオからモーツァルトの『ジュピター』が流れる音楽室で、私は教科書に載っている未完成のモーツァルトの肖像画を鉛筆でなぞり描きしていた。

みんなはそれぞれ好き勝手な席に坐《すわ》っていたが、私はクラスの教室と同じ窓側のいちばん後ろの席にいた。そこから見ていると、クラスの三分の一が机に顔を伏せて眠っており、三分の一が別の教科の勉強をしているのがよくわかった。音楽を聴いているのは残りの三分の一ということになるが、それも耳を傾けているふりをしているだけかもしれなかった。これが女の教師だったりすれば、話し声や笑い声でもっとうるさくなるのだが、みんながいちおう静かにしているのは大里の授業だったからだ。若い大里は、音楽の教師には似合わず、すぐにカッとして暴力を振るうので生徒たちから恐れられていた。

モーツァルトの顔を真っ黒に塗りつぶし終え、クラスメートの背中をぼんやり眺めているうちに、不意に、機関銃、と思った。ここに機関銃があれば、と思った。

教室の後ろの壁に立って機関銃を構える。そして、突然、みんなの背中に向かって撃ちはじめる。何百発も、何千発もだ。ダッダッダッダッダッという音とともに銃身をゆっくり動かしていくと、みんなは背中から血を噴いて、人形のようにコトコトと机につっぷしていく。眠っていた連中もなにごとかと起きたとたん、同じように弾丸を背中に受ける。男子も、女子も、教師の大里も、全員がコトコト、コトコトと倒れていく。私は果てしなく弾丸を撃ちつづける。黒板にも、壁にも、窓ガラスにも、無数の穴があき、それでも水平に構えたまま、ゆっくりと銃身を左右に振りつづける。やがて教室の床は赤黒い血で染まり、しまいには水溜《みずた》まりのようになるだろう。すべての弾丸を撃ちつくした私は機関銃を捨て、掃除用のモップを持ち、その血をたっぷりと含ませると、壁という壁に塗りたくるのだ。線を引き、絵を描く。血の線、血の絵、血の匂《にお》い……。

ふと、視線を感じて、空想の世界から引き戻された。廊下側の列のいちばん後ろの席に坐っていた井原がじっとこちらを見ていたのだ。私と眼が合うと、意味ありげに笑いかけてきた。私は興奮が冷め、ポケットに入れたままの左手を出した。そのとたん、ポケットの裏地を通して腿《もも》に生暖かいものが触れた。握りしめていたナイフが手の熱で暖かくなっていたのだ。

私のズボンにはいつもナイフが入れてあった。握りしめると、ちょうど手のひらに収まるくらいの小さなナイフだった。刃の根元にはＵＳＡという刻印があり、メーカーの名前らしくBONEという文字も見える。それは父の仕事場に出入りしているクズ鉄屋の老人からもらったものだった。ある日、父親の仕事場にいると、その老人が顔を出した。父に言いつけられて、私は老人のリヤカーまで鉄と銅のクズを運んだ。するとそこに、ガスのコンロや水道の蛇口などにまざってナイフのようなものがあるのが眼に留まった。手に取ってみると、ずしりとした重みがあった。柄の部分は汚れていたが、手でこすると漆で固めたような濃いえんじ色が浮き出てきた。刃を起こそうとしたが錆《さ》びついていて起きない。そこでナイフを軽くコンクリートで叩《たた》いていると、それを見た老人がほしいならやろうかと言ったのだ。もらって、さっそく手入れをした。ほんの少し油を塗ってバネを直した。サンドペーパーで錆を落とすと、鋼《はがね》の鋭さが現れてきた。とりわけ、アメリカ製のそのナイフは刃を起こした形が美しかった。わずかに湾曲した刃と柄は、一本に伸ばされるとまるで女性の体のように精妙な弧を描いた。

それ以来、私はなんとなくそのナイフをポケットに入れておくようになった。やがてポケットの中でそれを握っているのが癖になり、どこへ行くときもズボンのポケットに忍ばせておくようになった。制服のズボンをはいているときも、ジーパンにはきかえているときも、左のポケットには常にナイフがあった。刃をつけなかったため鉛筆もろくに削れなかったが、握っていると不思議に気持が落ち着いた。

夕方、部活の帰りにひとりで歩いていたりすると、胸に言葉にならない思いが込み上げてくる。時に、それはあまりにも激しすぎて肉体的な痛みと区別がつかなくなる。すると、私は決まってポケットに手を突っ込み、ナイフをきつく握りしめるのだ。ポケットの中のナイフは、自分でも予測できない揺れ動き方をする私の心にとって、一種の錘《おも》りのような働きをしてくれることになった。

井原の笑いには、ポケットの中のそのナイフの存在を知っているような思わせぶりなところがあった。教師に知られたらその場で没収されてしまうだろう。私が睨《にら》みつけるように見返すと、井原は笑いを歪《ゆが》めて眼をそらせた。

授業が終わり、音楽室から自分たちの教室に戻るため廊下を歩いていた。すると、井原がそばに寄ってきて、媚《こ》びるような口調で言った。

「すごいね」

私には何が言いたいのかわからなかった。黙っていると、井原がまた言った。

「やってたんでしょ、アレ」

私には依然として何が言いたいのかわからなかった。

「大里の時間にアレやるって、やっぱり勇気あるなあ」

感心したような、馬鹿《ばか》にしたような、奇妙に馴《な》れなれしいところのある口調だった。

私は井原を無視して歩きつづけた。

「別にいいじゃない、ほめてるんだから。エロ本も見ないで、ポケットに手を突っ込んだまままあんなにうまくできるなんて、すごい技術……」

私はようやく井原が何を言っているのか理解できた。

「おまえ……」

私が険しい顔をして立ち止まったので、井原はあわてた。

「でも、誰にも言わないよ、絶対に言わないから……」

私は授業中にマスターベーションをしていたと思われたことに腹を立てたわけではなかった。私が空想の世界に入り込んでいたときの顔を見られていたことに、そして、そのときの表情がマスターベーションをしているときの顔と間違えられたことに腹を立てたのだ。

「おまえ……」

私は同じ言葉を繰り返すと、小柄な井原の胸倉を取った。壁際《かべぎわ》に押しつけ、さらに激しい言葉を投げかけようとしたとき、金山が近づいてきた。

その言葉に思わず私は手をゆるめた。しかし、金山の姿を見ると、井原は脅《おび》えたような顔つきになった。私が口を開く前に、金山が先に言った。

「またこいつが汚ねえ真似《まね》したのか」

私は説明のしようがなく黙っていた。

「こりない野郎だ」

金山はそう言うと、私から井原の胸倉をひったくり、さらに強く廊下の壁に押しつけはじめた。井原は苦しげにうめき、私は意外な成り行きに戸惑った。そんな私たちを見て、廊下を通る生徒たちは反対の端をこわごわ通り抜けていくようになった。

「ごめんなさい、ごめんなさい、ほんとにごめんなさい」

突然、井原が金山に謝り出した。その様子は眼をそむけたくなるほど卑屈だった。

「なんでもないんだ」

私は金山に言った。

「いや、わかってるんだ、こいつがまた汚ねえことしたに決まってる」

金山はさらにきつく喉《のど》を締め上げ、井原が苦しそうに口をぱくぱくしはじめると不意に手を離し、ほっと息をついたところを右手で張り飛ばした。パチンと弾《はじ》けるようない音がして、井原がよろめいた。拳《こぶし》にせず平手にしたのは怪我《けが》をさせると面倒だと思ったからだろう。しかし、井原の頬ははっきりと手のあとがつくくらい赤くなっていた。

「もう、いい」

私が言い終わらないうちに、担任の佐々木が走ってきた。誰かが職員室に言いつけに行ったのだ。佐々木は井原とのあいだに割って入ると、私たちに向かって言った。

「おまえたち、おまえたちみたいに図体《ずうたい》のでかいのが寄ってたかってこういうのを痛めつけて、恥ずかしいとは思わないのか」

私と金山が黙っていると、佐々木は井原の方へ向き直り、頬が赤くなっているのを見て、眉《まゆ》をひそめながら訊《たず》ねた。

「二人が先に手を出したんだな」

私は、井原が先に手を出すはずなんかないのに、とその質問を馬鹿ばかしく思い、俺は手なんか出していないのだがと思ったが、もちろん黙っていた。

「出したんだな」

佐々木にそう念を押されると、井原は私の顔を見て、それからはっきりとうなずいた。

「そうか」

佐々木はふたたび私たちの方に向き直って訊ねた。

「おまえたちが先に手を出したんだな」

私と金山はあいかわらず黙っていた。

「わかった。二人とも職員室に来い」

そう言うと、佐々木は先に立って歩きはじめた。私と金山は顔を見合わせ、井原をにらみつけた。ところが、井原は意外にも脅えを押し隠し、顔に薄笑いを浮かべていた。それが金山を刺激した。

「待ってろよ！」

金山が凄《すご》むと、佐々木が振り向いて言った。

「くだらないことを言ってないで、早くついてこい」

職員室まで来ると、佐々木は出入り口の横の廊下を指さして言った。

「ここで正座してろ」

「ここで？」

金山が不満そうに言った。

「そうだ」

そう言い残して職員室に入っていこうとする佐々木の背に、金山がわざとらしい大声を張り上げて言った。

「ホームルームはどうするんですか？」

「出なくていい」

職員室の戸を後ろ手で閉めながら佐々木が言った。私たちは仕方なく職員室の出入り口の横の床に正座した。教師たちが出入りするたびに、私たちを面白そうに眺め、声を掛けていった。数学の根岸は、またおまえたちか、と憎々しげに言い、英語の吉岡は、御苦労なことだ、と大声で笑い、国語の相田は、かわいそうにね、と同情してくれた。しかし、同情は必要なかった。そんなことには私も金山も慣れていた。

「どうしてだ」

金山が不意に訊ねてきた。

「どうして言わなかったんだ」

何のことだと私は訊《き》き返した。

「おまえは手を出さなかったのにさ」

「ああ、そのことか」

「悪かったな」

最初の原因は私にあった。むしろ、金山の方が巻きぞえを食ってしまったといえなくもない。井原などにかまうのではなかった。悪かったのはこちらだ。しかし、その気持を説明するのは面倒だった。

五時になり、下校のチャイムが鳴りはじめた。佐々木がやってきて、もう帰っていい、と言った。私たちは立とうとしたが、足がしびれて立ち上がれず、床の上に四《よ》つん這《ば》いになってうめいた。しびれがいくらか納まると、私たちは互いの格好がおかしくて笑い出した。

誰もいない教室にカバンを取りに戻り、なんとなく肩を並べて校門を出た。金山とこんなに長い時間いっしょにいるのは初めてだった。私は歩きながらどこで別れたらいいか迷っていた。それは金山も同じようだった。歩いている道がバスの走る広い道路に出ると、左右に別れることになる。しかし、そのバス通りの手前に来ると金山がぶっきら棒に言った。

「ちょっと、付き合わないか」

私が金山の顔を見ると、さらに付け加えた。

「駅前で遊んでいかないか」

遊ぶというのがどんなことを意味するのかよくわからなかったが、誘いを断るのは悪いような気がした。それに、私もこのまま家に帰りたくなかった。

「うん」

そう返事すると、もう別に話すこともなかった。黙って肩を並べて駅に向かった。金山とは何を話していいかわからなかった。いや、金山ばかりではなかった。私には相手が誰でも同じだった。

そのまましばらく歩いていると、金山が口を開いた。

「どうしてやめたんだ」

「何が」

「跳ぶのをさ」

私は金山の顔を見た。練習をやめたのは、ただ普通の三年生と同じように引退しただけなのかもしれないのに、どうして跳ぶのをやめたなどと思ったのだろう。

「引退さ」

私がことさら軽く言うと、金山はふっと笑った。その笑いから、私の言葉を信じていないことがよくわかった。飽きたからさ。そう言ってとぼけようとも思ったが、そんないい加減な言い方は金山には通用しそうもなかった。しかし、どうしてやめたかある時から不意に跳べなくなってしまったのだ。わかを説明するのは難しかった。あるときから不意に跳べなくなってしまったのだ。わかっていることはそれだけだった。いや、もうひとつある。跳べなくなったのは恐怖からだった。跳ぶのが怖くなってしまったのだ。しかし、踏切板に足を叩《たた》きつけ、わずか一秒か二秒ほどの跳躍をするだけのことが、なぜ怖くなってしまったのか。そう訊ねられると、その先は答えられそうになかった。私はしばらく黙っていたが、逆に訊き返した。

「どうしてバスケットをやめたんだ」

すると、金山はまたふっと笑って言った。

「見せようか」

意味がよくわからなかったが、私がなんとなくうなずくと、金山は先に立って近くの路地に入っていった。そして、カバンを地面に放り出すと、学生服を脱いだ。ワイシャツのボタンをはずし、胸をはだけ、下着の左の肩の部分を乱暴にはぐって見せた。その肩の付け根の下の部分に三、四センチくらいの紫色の肉のひきつれがあった。長さは大したことはなかったが、いかにも深そうだった。

「どうした？」

「刺されたのさ」

なぜ、と訊くのはやめた。高校生かチンピラの喧嘩《けんか》に巻き込まれたのだろう。金山が校外でどのような連中と付き合っているかはだいたい想像がついた。しかし、デッドボールをするのに不自由はしていなかったはずだが……。私が訊ねる前に、金山が自分から説明した。

「左手がうまく上がらなくなったのさ」

そういえば、デッドボールは右手一本でどうにかなるが、バスケットボールでは両手が使えなければどうしようもない。ディフェンスをするにも、ゴール下でリバウンドのボールを争うにしても、右手一本では苦しすぎる。金山は左手をゆっくり上げていったが、それは肩より上には行かなかった。

「ここまでしか上がらない」

大事な筋が切れてしまったのだろう。

「そうか……」

そう言ったあとで、私も金山に自分の傷口を見せられればと思った。なぜ跳ぶのをやめたのか。それを説明できる傷があれば見せただろう。もしかしたら、傷はどこかにあったのかもしれない。しかし、たとえあったとしても、その傷は私の体の奥のどこかに隠れ、金山のようにはっきりとした紫色をしていないことだけは確かだった。

私たちはまた黙ったまま駅に向かって歩いていった。

「おまえ、どうしてあまりしゃべらないんだ」

金山が不思議そうに言った。

「おまえ、学校でもほとんどしゃべらないだろ」

なぜと訊かれても、自分でもわからなかった。私はしゃべろうとすると、いちど頭の中で考えてからでないと、言葉になって出てこないのだ。大勢の会話の中に入っていると、そうしているうちにも話は進んでいってしまい、結局ひとことも発しないということになってしまう。いつのころからか、家族以外の誰かと話すことを諦《あきら》めるようになっていた。私がスポーツに熱中するようになったのは、人と話す必要がなかったからだった。私がどう答えたらいいのか戸惑っていると、金山がひとりで納得するようにつぶやいた。

「おまえはヘンな奴《やつ》だよな。俺は馬鹿《ばか》にきまっているけど、おまえは頭がいいんだか悪いんだかわからない。それで、いつも違うことを考えてる。ほんとにヘンな奴だよ、おまえは」

駅の周辺はもうネオンが輝きはじめていた。金山は、線路下のガードをくぐり、東口に向かった。駅前から映画館の立ち並ぶ通りを過ぎ、飲み屋が続く通りに出ようとしているらしかった。

そのとき、向こうからキャバレーのプラカードを持った奇妙な人物が歩いてくるのが見えた。ハーフコートにパンタロン姿の女、いや女装した男だった。私はそのコートに見覚えがあった。私はとっさに道を曲がった。金山がけげんそうな面持であとをついてきた。

「そっちじゃないんだ、俺たちの溜《た》まり場は」

「こっちから行こうぜ」

私は勝手に歩いていった。

「あっちには何かまずいことでもあるのか」

「いや……」

そう言いながら、私は自分で自分の行動が理解できなかった。どうしてあの男と出会うことを避けてしまったのだろう。恥ずかしいのは私ではなく男のはずだった。だがすぐに、私が角を曲がってしまったのは、あの男の姿を金山の眼に触れさせたくなかったからだということに気がついた。私はあの男の恥ずかしい格好を金山に見せたくなかったのだ。私はまるで肉親に対するような心の動かし方をした自分に腹を立てた。

「こっちから行こうぜ」

私はもういちど強く言い、先に立ったまま歩きつづけた。

4

夜、風呂《ふろ》屋で頭を洗っていると、遅れて入ってきた男が隣に坐《すわ》って話しかけてきた。上機嫌でおしゃべりをしている様子から判断すると、私が駅前の繁華街で見つからないうちに道を曲がってしまったことに気づいていないようだった。私は気が楽になった。

脱衣場には私の方が先に上がった。牛乳を飲みおわったころ、男も上がってきた。挨拶《あいさつ》をして先に出ようと思ったが、やはり待っているべきだという気がした。どこかに罪悪感のようなものがあったのかもしれない。

外に出て歩き出すと、男が言った。

「逃げたでしょ」

それがあまりにもさりげない調子だったので、私はとっさに返答ができなかった。

「東口でよ。おにいさんでも、やっぱりね」

わかっていたのだ。

「どうして逃げたりするの。あたしとすれ違うのがどうしていやなの。友達と一緒だからあたしに声を掛けられるのが恥ずかしかったんでしょ。そうね、そうに決まっているわ」

私は黙っていた。

「あたしだって常識はあるわ。あんな格好しているときに声を掛けたら、いくらなんでもおにいさんがいやがるということくらいわかっているわ。黙って通り過ぎるわよ。ちょっとくらいは眼で合図をするかもしれないけど、友達にわかるようなことをするはずがないじゃない。それをコソコソ逃げたりして、あんなことをされたら相手がどんな気がするかなんて考えていなかったんでしょ」

私には反論のしようがなかった。男の言うとおりだったからだ。

「おにいさんだけは違うと思っていたわ」

私が黙っていると、男はひとりごとのように言った。

「あーあ、今夜はひとりでヤケ酒よ」

そんなことくらいでどうしてヤケ酒を飲まなければならないのだろう。いくらなんでも大袈裟《おおげさ》すぎるような気がしたが口には出さなかった。私がなおも黙っていると、男がいきなり言った。

「うちに寄ってかない？」

冗談じゃない、と即座に断ろうとしてためらいが起きた。たぶんこの男は家に帰ればひとりきりなのだろう。本当にいやな気分のままひとりで酒を飲むのかもしれない。そして、そのいやな気分を作り出したのはこの私なのだ。

「ねえ、寄っていってよ」

男が粘りつくような声で繰り返したとき、私は思わずうなずいてしまった。うなずいてしまったとたんに後悔したが、遅かった。男は立ち止まり、声を上げた。

「ほんと？　ほんとに、ほんと？」

私がこんどははっきりとうなずくと、男は言った。

「嬉《うれ》しいわ。汚いとこだけど、コーヒーでも飲んでいって」

男が住んでいたのは、閉鎖された鉄工場の広い敷地の裏に建っている木造のアパートだった。たぶん青雲荘という名がついていたのだろうが、正面の壁についているタイルの文字から雲の下の部分が取れて、長いあいだ青雨荘のままになっている。ちょうどそこは小学校への通学路に当たっていて、近所の子供たちはオバケアパートと呼んで恐れていた。まさか、男がそのオバケアパートに住んでいるとは思わなかった。それを知っていれば、決して誘いには乗らなかっただろう。

オバケアパートの老朽化は加速度的に進み、住人は年々少なくなっていた。そのため、夜などは恐ろしいほど寂しそうだった。しかし、私が行きたくなかったのはそれが理由ではなかった。

鉄工場の跡は鉄条網で囲まれた空地になっていたが、いつのまにか鉄条網は切断され、斜めに突っ切る通り道のようなものができていた。そこを通るとオバケアパートへはかなりの近道になる。私はその空地を通りたくなかったのだ。


小学校の低学年のころだった。その空地に一匹の犬が棲《す》みつくようになった。小柄な日本犬の雑種で賢そうな顔つきをした牡《おす》だった。飼い犬だったらしく首輪をしていた。捨てられたのか、逃げてきたのかわからなかったが、人なつこかった。とりわけそこを通って学校への行き来をする私になつくようになった。アパート住まいのため犬を飼えなかった私は、その犬にタローという名前をつけ、学校の帰りなどに給食の余り物をやるようになった。

ところが、ある日、そのタローの美しい姿が一変していた。胴から後肢《あとあし》にかけて何かに引っかけられたような長い傷を負い、毛に黒い血がこびりついていたのだ。タローがそんな傷を負うことになった理由はすぐにわかった。それ以後、道を歩いているタローは、向こうから車が走ってくると狂ったように吠《ほ》えながら突進していくようになったからだ。恐らく、自動車に轢《ひ》かれたに違いなかった。

それから半月ほどしたある日、学校の帰りに、隣の席の女子が残したパンと魚のフライを空地にいたタローにやった。食べ終わるのを見届けて家に帰ろうとすると、タローが私を見上げるような仕草をしてあとをついてきた。まだ後肢を引きずるように歩いているのが痛々しかった。どこまでついてくるつもりなのだろう。タローは私に飼ってほしいと言っているような気がしたが、四階のアパートでは飼いようがなかった。

しばらく私につき従うようにして歩いていたタローが、突然、吠えはじめた。道の反対方向からオート三輪が走ってきたのだ。タローは吠えるだけでなく、そのオート三輪に向かって走りはじめた。

「タローっ！」

私は叫んだ。しかし、タローは私の声など耳に入らないように吠え立てながら突進していった。いつもなら、驚いた車の運転手が少し避けるようなハンドルさばきをして通り過ぎていくのだが、そのときは運転をしていた米屋の親父《おやじ》の虫の居所が悪かったのか、それとも何度も同じような目に遭っていて腹を立てていたのか、逆にハンドルを切ってタローに近寄っていった。

そして、オート三輪は、吠え立てるタローを後輪で轢いてしまったのだ。タローの悲鳴は聞こえなかった。しかし、オート三輪が走り去ったあとの路上には、ぐったりと横たわったタローの姿があった。走り寄った私は、薄く眼を開いているタローを片手で軽く揺すってみた。まだ温かい体のタローは、どこからも血を流していなかったが、ピクリとも動かなかった。

死んでしまった。タローは死んでしまった。私はどうしていいかわからないまま、恐《こわ》くなってその場を離れた。だが、歩いているうちに、あそこにあのままタローを放置しておくと、他の車にまた轢かれてしまうかもしれないということに気がついた。私はランドセルを家に放り投げると、さっきのところまで走って戻り、タローを抱き上げた。

小柄なはずのタローの死体は、しかし小学生の私にはとても重く感じられた。ようやく工場跡の空地に運び込んだときには、両腕が硬直して動かないほどだった。

私はタローが棲んでいる場所を知っていた。草むらの奥に一本の樹《き》があり、以前はその周辺が格好のゴミ捨て場になっていた。雑草が深くなってからはあまり人が入らなくなっていたため、タローはそのゴミの中でうまい具合に横向きになって倒れている古いカラーボックスを棲みかにしていたのだ。

私は樹の下にタローを横たえると、ゴミの山の中から壊れたパイプ椅子《いす》の部品を取り外し、それで土を掘りはじめた。雨あがりで土が軟らかくなっていたこともあり、一時間もするとタローを埋められるほどの大きさの穴ができてきた。その穴に入れるため、もういちどタローを抱き上げると、眼から薄い血の色をした液が一筋流れ出て、私の腕を濡《ぬ》らした。

その夜、私は米屋の店先に停めてあるオート三輪にそっと近づくと、家から持ってきたクギと道端で拾った石とでタローを轢いた後輪のタイヤをパンクさせた。だが、その姿を誰かに見られていたらしく、次の日、米屋の親父に怒鳴り込まれてしまった。応対に出た母が謝り、修理代を払うことで許してもらうことになった。さすがに、この件では母に叱《しか》られるかもしれないと思った。ところが、母は私にどうしてパンクさせたのかを聞いただけで何も言わなかった。ただ、何日かして、こう訊《たず》ねてきた。

「タローには教えてあげたの？」

「何を?」

「危ないよ、って」

私が犬にそんなことは教えられないと言うと、母は私の眼を見ながら短く言った。

「そう?」

話はそこで終わったが、私は母の言葉がいつまでも耳に残った。そう? 確かに、私はタローに自動車に吠えかかってはいけないと教えることをしなかった。そんなことができるとは思わなかったからだ。しかし、その結果、タローを見殺しにしてしまった。私はただ米屋のオート三輪をパンクさせることしかできなかったのだ。そう? 母の言葉を思い出すたびに、タローの眼から流れ出た、薄い血の色をした涙のような液の感触が甦《よみがえ》ってきた。そして、気がつくと、いつの間にか私はタローを埋めた工場跡の道を通らなくなっていたのだ。

男と何年ぶりかで通るその道は以前とあまり変わっていなかった。ただ、根元にタローを埋めてある樹が大きく成長していた。葉はすっかり落ちて丸坊主《まるぼうず》になっているが、月明かりに浮かんだ梢《こずえ》は記憶の中のものよりはるかに高くなっていた。

アパートに着くと、男は広い玄関にある大きな下駄箱に自分の靴を入れた。私も脱いだサンダルをその横に入れた。その奥に長い廊下があり、両脇《りょうわき》に部屋が並んでいる。男の部屋は二階のようだった。玄関の横の黒光りした急な階段を上がると、一階とまったく同じように両脇に部屋が並んでいた。

男の部屋は手前から三番目の右側の部屋だった。扉の横にボール紙の表札が貼《は》ってあり、そこには黒いサインペンで「藤田」と書いてあった。

「さあ、入って」

私は男にうながされて部屋に入った。しかし、六畳一間のその部屋に一歩足を踏み入れたとたん、ぐらっと体のバランスを崩してしまった。部屋が傾いているような気がして、とっさに足を踏ん張ろうとしたためだった。

そのとき、近所の寺の境内にあった大きな池を思い出した。小学生のころ、廃材を利用して作ったイカダに跳び乗った瞬間、ぐらりと揺れて池に落ちてしまったことがあったのだ。まだ泳げなかった私は溺《おぼ》れかけ、もしそこに郵便局の配達員が通りかからなかったら死んでいたかもしれなかった。男の部屋は、そのときのイカダの揺れと首に絡《から》みついた緑の藻の感触とを思い出させた。

部屋の中は意外なほどきれいに片づいていた。しかし、私はちらっと見まわして、どこかへんだなと感じた。散らかってはいないのに、なんとなく落ち着かないのだ。

それは殺風景というのとも違っていた。

男は電気コタツのスイッチを入れると、流し台の前に立って湯を沸かしながら言った。

「お坐《すわ》りなさいよ」

私は勧められるままにコタツに足を入れ、あらためて部屋の中を見まわした。家具は多くなかったが、壁には男性のロック歌手のポスターや写真が何枚も貼ってあった。中でも押し入れの襖《ふすま》には飛びぬけて巨大な一枚が貼られていた。腰の低い位置にギターを構え、うっとりと眼を閉じて歌っているところが映っているポスターだった。

ふと、ビニール製の洋服入れの横の柱に、あずき色のボクシングのグラヴらしいものがぶら下がっているのに気がついた。

「あれは？」

私が訊ねると、振り向いた男は、私の視線をたどってから、つまらなそうに返事をした。

「ボクシングのグラヴよ」

「だから、そのグラヴがどうして……」

「昔やってたのよ」

「あたしに決まってるじゃない」

「誰が？」

「ほんとに？」

私は思わず声を上げてしまった。この男がボクシングをしていたなどとは信じられなかった。それが声にもにじんでしまったらしく、男は腹立たしそうに言った。

「失礼ね。そんなことで嘘《うそ》を言うわけないでしょ」

「いつごろ」

「ずっと若いころよ」

私にはまだ信じられなかった。やっていたといっても、ほんのしばらくボクシング・ジムでトレーニングをしたことがあるくらいなのだろう。そう納得しかかったとき、男はさらにびっくりするようなことを言った。

「ボクサーだったのよ」

まさか、という言葉をあわてて飲み込んだが、男はそれが聞こえでもしたかのように言い足した。

「プロのライセンスだって持ってるわ」

私は混乱しはじめた。しかし、ボクサーだったような男がどうして盛り場で女の格好をしてキャバレーの看板を持っていなければならないのだろう。すると、そんな私の気持を見すかしたように男が言った。

「信じないでしょうね。無理もないわ。あんな格好して、昔ボクサーだったもないもんだと思ってるんでしょうね。でも、ほんとの話なの。嘘だったらどんなにいいかしれないわ。元ボクサーがあんな仕事をしてるなんてね。みんなに申しわけないわ。だけど仕方がないのよ。いまのあたしにはあんな仕事しかできないの。殴られてばかりいたから頭がおかしくなっちゃって、根気が続かないの。この仕事なら立っていればいいでしょ。だからやってるのよ」

「でも、どうしてあんな……」

私は言いかけて、あわてて言い直した。

「どうして、女の人の格好なんか……」

「お金がいいのよ、目立つから。あの仕事は、目立てば目立つほどいいの」

「でも……」

「恥ずかしくなんかないわ。どんなことだって、食べるためだと思えばなんでもないわ。そうでもしなければ、あたしなんか仕事をもらえないしね」

本当にそれだけが理由で女の服を着ているのだろうか。では、その言葉づかいはなんのためのものなのだろう……。

湯が沸騰《ふっとう》すると、ていねいな手つきでコーヒーを入れてくれた。コーヒーと言えばインスタントのものしか知らなかったが、挽《ひ》いた豆を使った本格的なコーヒーだった。私には少し苦かったが砂糖を入れて我慢して飲んだ。男は何も入れず、コーヒーをそのまま飲んだ。そして、私が無理して飲んでいるのがわかったのか、言った。

「お水、あげましょうか」

そう言われて、水が飲みたかったことに気がついた。私はうなずき、水道から汲《く》まれたコップの水を一気に飲みほした。すると、男が感心するように言った。

「ほんとにおいしそうに飲むわね、おにいさんは」

私がなんと返事をしていいかわからないでいると、男は遠くを見るような眼つきになって言った。

「でも、水はおいしいものね」

私は黙って男の顔を見た。

「昔はよく言われたものだわ、水は噛《か》んで飲めってね」

「噛んで？」

私は訊《き》き返した。

「そう、よく噛んで、大事に飲めってね。……あたしはフェザー級だったけど、それじゃあ勝負にならないからってバンタム級にクラスを下げたのよ。フェザーのときだって体重はいっぱいいっぱいだったのに、バンタムまで体重を落とすのはたいへんなことだったわ。いつも試合の前は地獄だった。同じ水分を取るなら、水じゃなくて、もっと栄養のあるものから取らなければならない。試合の近くになると、もう一滴も飲めないの。だから、毎朝、ロードワークに出ると、水道の蛇口があるところが気になってしょうがなかった。公園の中を通ると、あそこにあるな、学校のそばを走ると、あそこにもあるな、魚屋の前を通ると、この路地の奥にもあるなっていう具合に、どこに水道があるのかみんな頭に入っているわけ。知っていても、飲むわけにはいかない。それはほんとにつらいことだったわ。だから、水は本当に噛んで飲んだものよ。ボクシングの世界から足を洗ったとき、何が嬉《うれ》しかったって、食堂や喫茶店に入って、出されたコップの水を好きなだけ飲めるようになったことほど嬉しいことはなかった。それまでは水を飲むたびに罪悪感を感じていたからね。ああ、これ一杯で二百グラム増えてしまう、ひとくちだけでも二十グラムだ、という具合。でも、いくらでも水は飲めるようになったけど、本当においしい水は飲めなくなったわ。試合が終わったあとに飲む、あの水のようにおいしい水はね」

私は男のひとりごとのような話を聞きながら、昔ボクサーだったということを少しでも疑った自分が恥ずかしくなってきた。水は嚙んで飲め。それはかつてボクシングをしたことのある人でなければ出てきそうもない台詞《せりふ》だった。以前、この人は間違いなくスポーツをやっていた。たとえ途中で挫折《ざせつ》したとしても、一度はその世界の頂点を目指して努力したことがある人なのだ……。

そういえば、と私は男の裸の体を見た最初のときの印象を甦らせていた。あのとき、私は女装の下から現れた男の体があまりにもがっちりしているのに驚いたはずだ。大きくはないが、厚みのある胸をしていた。腕も太く、筋肉質だった。そう言われれば、まさにボクサーの体だった。それに、あのひどい歯も、パンチを受けたりバッティングされたりしているうちに折れたり抜けたりしてしまったと考えられなくもない。私が貧血で倒れたときの介抱の仕方が手慣れていたのも、男がボクサーだった間違いのない証拠のように思えてきた。きっと、ボクシングの練習で誰かが倒れたりするとあやって介抱するのだろう。

私は自分の眼の前に元ボクサーがいるということに興奮していた。

「強かったの？」

そう訊ねてしまってから、私は自分に舌打ちしたいような気持になった。強かったら、やめたあとで、こんなことはしていないだろう。すると、男はいつもの泣き笑いのような顔になって言った。

「弱かったわ」

私はそのとき、男に対して初めて気持が素直になっていくのを感じた。

「そう……」

「そうなのよ……」

しばらく私たちのあいだに沈黙が流れた。そろそろ帰らなくては。私が言うと、まだいいじゃない、と言いかけて、男はすぐに、そうね、と言い直した。

「さようなら」

私がコタツから立ち上がって言うと、男が坐ったままやさしい口調で応《こた》えた。

「またね」

しかし、その言葉を聞いても、この夜は少しも不愉快ではなかった。

第四章

1

次の夜から、私は風呂《ふろ》屋に行く時間を意識的に遅らせるようになった。男が仕事を終えて来るころに合わせ、風呂を出てから一緒に歩いて帰るようにしたのだ。男は私のアパートまで遠まわりをして送ってくれながらボクシングについての話をしてくれた。時には、切りのいいところで終わらないため、アパートの前で立ったまま、しだいに湯冷めしてくるのもいとわず話を続けるようなこともあった。男は私が知りたいと思う質問にはあまり答えず、自分のしゃべりたいようにしゃべった。それでも、私にとっては聞くことすべてが新鮮だった。初めて風呂屋に入ってくる姿を見かけてから一週間しかたっていないのに、そのとき抱いた嫌悪感《けんおかん》がすっかり消えているのが不思議だった。

男は、日本国内ばかりでなく、さまざまな国で試合をしたことがあるようだった。

「咬《か》ませ犬よ」

男は自嘲《じちょう》するように言った。

「咬ませ犬？」

私には初めて耳にする言葉だった。

「ほら、闘犬なんかで、強くしたい犬に咬み方を覚えさせるために連れてこられる弱い犬がいるじゃない、あれよ」

男は、韓国やフィリピンばかりでなく、タイやインドネシアにも行ったことがあるということだった。

「バンコクは暑くて、蒸し蒸ししてて、とてもボクシングをやるような気分になれなかったわ。食事はプロモーターが日本料理の店で食べさせてくれたけど、これが間の抜けた日本食でね、力が出るより抜けそうなものばかりなの。でも、試合のプログラムを見たら、なんとあたしの名前がいちばん最後に載っているじゃない。メイン・イベントというわけよ。あたしもがぜんやる気になって、減量も暑さで汗が出やすいんでうまくいくし、これは久しぶりにいい試合ができるかもしれないと張り切っていたの。ところが、試合場に行ってびっくり。前座はみんなキック・ボクシングじゃない。客は金を賭《か》けているもんだから、ワーワー、キャーキャー、大騒ぎなのよ。そして、ついにあたしの番になったわ。すると、客がゾロゾロ帰りはじめるじゃない。どういうことだとセコンドについてくれたタイ人に訊《き》くと、キックのメイン・イベントが終わったからだと言う。つまり、あたしの試合はキックの刺し身のツマというわけだったのよ。ガックリきて……すぐに引っ繰り返っちゃったわよ」

男の話はいつも最後は滑稽《こっけい》なものになっていったが、私の想像もつかない不思議な世界での体験が多かった。私には体ひとつで世界を歩きまわってきたらしいこの男が、外見や言葉づかいからでは判断できない、とても勇敢な人物であるように思えてきた。

「韓国の釜山《プサン》に行ったときだったわ」

あるとき、男が思い出したように話しはじめた。

「相手は上り調子の韓国三位のボクサーだった。急に呼ばれたもんだからウェイト調整も何もあったもんじゃない。前の日にサウナに入って目方を落とすという悲惨さよ。それでもどうにか契約通りの重さにして当日の計量にのぞんだの。ところが百グラムだけオーバーしているのよ。そんなことが起こるはずはない。だって、前の晩にその秤《はかり》で量らしてもらったとき、どんぴしゃりだったのよ。量ってからは水を一滴だって口にしていない。人間は寝ているあいだに汗をかくものだから、体重は減っても増えるはずはないのよ。あいつらが細工したに決まっているわ」

「秤に？」

私は訊き返した。

「そう。たぶん前の晩に量るときにね。そんなことをしなくったって、あたしがその上り坂のボクサーに勝てるわけなんかないのに、馬鹿《ばか》な奴《やつ》ら」

「それで？」

「あたしは黙ってホテルの部屋に戻って熱いシャワーを三十分浴びたわ。そして、涼しい顔をして戻って、秤に乗り直したの。どんぴしゃりだった」

「向こうはあわてた？」

「まさか。あいつらはあたしが試合当日に汗を流して疲れればそれでよかったのよ。きっとあたしの髪が濡《ぬ》れていたのを見て、内心ほくそえんだに違いないわ」

「卑怯《ひきょう》だね」

「どこでもそんなものなのよ。でも、あたしは怒ったわ。ふざけないで、見てらっしゃいってね。そんなことがなければ、四、五回で適当に引っ繰り返るつもりだったけど、そうはいかなくなったと思ったの。試合が始まると、相手はあたしをなめてぶんぶん振りまわしてきたわ。あたしはいかにも減量に失敗したというようにただただ逃げまわっていたの。相手はそこをかさにかかって攻めてくる。観客もそこの日本人を血祭りに上げろという調子で大騒ぎ。そんなふうにして二ラウンドが過ぎて、三ラウンド目に入ったとき、頃合いを見計らってクリンチからの離れ際《ぎわ》に大きなフックを放ったの。狙《ねら》いすました大きなフック。でも、それはパンチじゃなかった。グラヴじゃなくて、肘《ひじ》で打ったのよ。その肘打ちはものみごとにこめかみに入って相手は一発でダウンしてしまったわ」

「肘打ちって……」

「もちろん反則よ。相手が伸びたまま起きてこなかったのでロー・ブローと同じようにあたしの反則負け。それを見て、観客は大騒ぎ。殺気立ってきたわ。でも、あたしの方も負けちゃいなかった。観客に向かうと大声でどなり返してやったわ。うるせえ、てめえら、文句があるならかかってこい。もちろん日本語でね。そうしたら、セコンドについてくれていた韓国人が真っ青になってとびついてきたの。そして手であたしの口を塞《ふさ》いだわ。あたしはまだカッカしてて、その手を振りほどいてまた叫ぼうとすると、セコンドが言ったのよ。ここには日本語がわかる人がいっぱいいますよ。そんなこと言ったら殺されますよ。あたしは馬鹿だからタイやフィリピンと同じつもりでいたのよね。セコンドに抱えられるようにしてあわててリングを降りたわ。おかげで控室に戻るまで観客からいろんなものを投げつけられることになったけどね」

周囲のすべてが敵というところで、文句があるならかかってこいと叫んだという話には、私の心を震わせるものがあった。そして思った。もしこれを聞いたら、やはり母もこの男を勇敢だと思わなかっただろうか、と。

男の話からは、母が私に望んだものとはいくらか違っているにしても、確かな勇気の存在が感じられた。どこか屈折しているが、吹きつける強風に裸で立ち向かっていくような、無謀さと紙一重の勇敢さがあった。

「打たれて、打たれて、ダウンして、ダウンして、もうあと一発か二発打たれたら、ノックアウトされてしまうというようなとき、キャンバスから立ち上がって、ふらふらになりながら最後の力を振り絞って相手に向かっていくことがあるの。テメー、このヤローって、ね。そのとき、体はボロボロなんだけど、気持が透きとおったみたいになって、自分はもう誰にも負けない、どんなチャンピオンが相手でも怖くないと思える瞬間があるの。そういうときのボクサーはほんとに怖くて、あたしも逆の立場になったことがあるけど、いくら自分が勝っていても、そのヨレヨレの相手に射すくめられたみたいになっちゃうものなのよ。地獄からやってきた悪霊《あくりよう》みたいでね。でも、冷静さを取り戻して一発か二発パンチを当てれば引っ繰り返っちゃうんだけど。そうやって倒れていくとき、倒されていくときっていうのは、ほんとに気持がいいものなの。もし、天国というものが本当にあるとすれば、そこへ行くときはこんな気分なんだろうなって思うくらい。だから、あたしはダウンしてもダウンしても起き上がったの……」

男と話すことに新鮮な喜びを感じたのは、それが年長の男性に一人前の話し相手として扱ってもらった初めての経験だったからかもしれない。

私の家には客というものがなかった。誰も訪ねて来なかったのだ。父母の知人も親類も誰ひとりとして家に来なかった。自分の家には、学校の友達の話に必ず出てくる親戚《しんせき》という存在がいないということに気がついたのは、小学生の低学年のころだったろう。私の周辺には、祖父母もいなければ伯父伯母や従兄弟《いとこ》といった存在もなかった。あるとき、夏休みに田舎に行くという友達がうらやましく、母に訊《たず》ねたことがあった。うちの田舎はどこ、と。母の答えは、うちには田舎はないの、というものだった。また、別のとき、お父さんやお母さんはどこで生まれたの、と訊ねたことがあった。ずっと遠くよ、と母は答えた。私の家族は、まるで人の眼を避けているかのようにひっそりと暮らしていた。

男と話をするのがいやではなかったもうひとつの理由は、私の言いたいことを瞬時に察知してくれるからだった。次にしゃべるべき言葉を頭の中でまとめようとして言いよどんでいると、男はその内容を素早く読み取り先まわりして答えてくれる。それはほとんど間違えることがないほど正確なものだった。

そんな夜が幾晩か続いたある日、男の来るのがひどく遅いことがあった。私はゆっくり湯舟につかったり体を洗ったりしていたが、いつまでたっても姿を現さないので先に上がって帰ることにした。灯りの落とされた薄暗い脱衣場で服を着ていると、そこに黙って男が入ってきた。いつも陽気に声を出して入ってくる男にしては珍しいことだった。静かだね。そう冷やかそうとした私は、近づいてくる男の顔を見て言葉を飲み込んだ。右の眼のまわりが腫《は》れあがっていたからだ。頬骨から眉《まゆ》の上にかけて青黒くなっている。何かにぶつかったとか転んだとかいうのではなく、明らかに人に殴られたあとのように見えた。

「それ、どうしたの」

私は訊ねた。しかし、男は返事もせずに服を脱ぎ、洗い場に入っていってしまった。男は洗い場のカランの前に坐《すわ》り込むと、湯舟には入ろうとせず、桶《おけ》に水を張り、タオルで顔を冷やしはじめた。周囲の常連客が何かからかっているようだったが、男は相手にならず一心にタオルを圧《お》し当てている。待っていてやろうかな、と私は思った。番台の親父《おやじ》に金を払い、牛乳を一本もらい、隅にある籐椅子《とういす》に腰かけてそれをゆっくり飲んだ。男はいつもよりかなり早く湯から上がってきた。眼のまわりのあとは一段と青黒さが増し、湯上がりの熱が加わって異様な光を帯びはじめていた。私はそれには触れないでおこうと思ったが、初めて見る鮮やかなパンチのあとに、ついに好奇心を抑え切れずまた訊ねてしまった。

「喧嘩《けんか》?」

男は黙ったまま怒ったように体をふきつづけた。

「誰かに殴られたの?」

「うるさいわね、どうでもいいでしょ!」

男は甲高い声で叫んだ。私はその勢いに飲まれて口をつぐんだ。

風の冷たい外の通りを並んで歩きながら、私はさっきの男の叫び声が、いつかどこかで聞いたことがあるもののような気がしていた。

——うるさいわね、どうでもいいでしょ!

それは家を出る前の母に一度だけ投げつけられた激しい言葉だったのではないだろうか。様子がおかしい母に、どうしたのと声を掛けると、初めて見るような険しい表情で言ったのだ。うるさいわね、どうでもいいでしょ。いや、違った。母がそんな言い方をするはずがない。ただ、心配しなくてもいいのよ、と言っただけだったのかもしれない。しかし、私には、うるさいわね、どうでもいいでしょ、と言われたほどの強い拒絶感が含まれているように感じられた……。

私が自分の思いの中に入っていると、男が前から私の顔をのぞき込むような仕草をして言った。

「さっきはごめんなさい」

私には男が何を謝っているのかわからなかった。

「怒鳴ったりして、ごめんなさい」

そこに、かすかな機嫌を取るような響きが含まれていることに気がつき、ようやく理解できた。

「ああ、別に……」

「あたし、今日は少しおかしいの」

「喧嘩したの？」

もういちど訊ねてみた。

「まあね」

「殴られたの」

「そう」

こんどは素直に応じてきた。

「すごいね」

私が言うと、男は少し怒ったように言った。

「なにがすごいのよ」

「相手の奴、すごいパンチを持っていたんだね」

「あんたにどうしてそんなことがわかるの」

「だって、元ボクサーを相手にして、顔面にそんなにきれいにパンチを決めるなんて、すごいよ」

すると、男は少し機嫌を直して言った。

「まあね」

「すごいよ、そんなのいままでに見たことないよ」

私の言葉を聞いているうちに、男もいくらか元気が出てきたようだった。

「そうね、あたしを一発でのしちゃったんだから」

「のされたの？」

「そう」

言ってしまってから、男にまずかったかなという表情が浮かびかけた。

「やっぱり、喧嘩？」

しかし、男は何かを考えているらしく、すぐには返事をしなかった。

「からまれたの？」

男はさらにしばらく黙ったまま歩いていたが、ようやく口を開いた。

「……違うわ」

そして男はまた黙り込むと視線を宙に浮かせるようにした。私は男にこうした瞬間がよくあることに気がついていた。頭の中でめまぐるしく駆けめぐる考えをまとめようとしているような不思議な表情だった。

これ以上訊《き》いてはいけないのかもしれない。そう思って黙っていると、男の方から口を開いた。

「うちに来ない？」

気は進まなかったが、断る理由を見つけられなかった。うなずくと、男は急に元気になって言った。

「ありがとうね」

男のアパートにつき、二階に上がって部屋に入ったとき、またぐらりとするような気がした。それはやはり壁に貼《は》られたポスターが原因のように思えた。廊下側にはびっしり貼られているが、外に面した側の壁には何も貼られていない。ポスターだけでなく、家具もすべて廊下側に寄せられている。これで変だと思わないとすると、男の平衡感覚が失われているのかもしれない。そのとき、男がボクサーだったことを初めて話してくれた夜に、殴られてばかりいたので頭がおかしくなってしまった、というような意味のことを言っていたのをあらためて思い出した。

勧められるままにコタツに足を入れ、ポスターが貼られている廊下側の壁から、窓のある外に面した壁に眼をやると、そこに奇妙なものがあるのに気がついた。

壁は砂の混じったざらざらした黄土色の土によってできていた。その壁のちょうど真ん中に、硬貨ほどの大きさの穴があいていた。穴は内側の壁だけでなく、外の壁にも続いていて、アパートの前に立っている街灯の光がちらつくのが見えた。

私にはその穴の意味がわからず黙って眺めていると、流しの横でコーヒーの用意をしていた男が振り向いて言った。

「それは空気穴よ」

「空気穴？　自分であけたの？」

「そうよ。この穴さえあれば、出口がぜんぶ塞《ふさ》がれても息だけはできるでしょ」

「窓があるのに？」

「窓なんて信じられないわ。息苦しいのは御免なの」

男の台詞《せりふ》は奇妙なものだったが、あまりにも当たり前のことを当たり前にしゃべっているというふうだったので、それ以上は突っ込んで訊くことができなかった。ただ、なんとなく、この人はどこか洞窟《どうくつ》のような狭いところに閉じ込められたことがあるのかもしれないなと思った。

私が出てきたコーヒーカップに砂糖を入れてかきまぜていると、何も入れずにひとくち飲んだ男が言った。

「……今日、試合を見にいったのよ」

「何の？」

「ボクシングに決まっているじゃないの」

「もしかしたら、それ、マヌエル・サンチェスの試合？」

「あら、どうして知ってるの」

男に意外そうな表情が浮かんだ。

「テレビで見た」

「そうか、中継していたもんね」

「つまらない試合だったね」

私が言うと、男はまた黙り込んでしまった。

マヌエル・サンチェスというボクサーは以前とても有名だったらしい。世界チャンピオンにはなれなかったが、そのうまさはチャンピオン以上という評価を得ていたということだった。テレビのアナウンサーは「無冠の帝王」という呼び名を何度も繰り返した。十何年か前にも来日して各地を転戦し、圧倒的な強さを見せつけたという。その後、引退したも同然の生活を送っていたが、「第二の故郷」である日本のフェザー級のホープと戦うためカムバックしたということだった。日本のホープは、世界に挑戦する前の景気づけとして招いたらしい。しかし、試合はひどいものだった。マヌエル・サンチェスはほとんどボクサーとも思えないぶよぶよの腹をして登場すると、パンチらしいパンチを一発も出さないまま、三回にボディーを二、三発打たれただけでキャンバスにうずくまってしまった。それで終わりだった。

「……そう、ひどい試合だったわね」

男が沈んだ口調で言った。

「あたしは、昔、そう十五年以上も前、自分で言うのもなんだけど、かなり期待された新人だったの。でもね、悲しいことにあたしの所属しているジムは小さかったの。力のないジムの悲しさで、弱い相手と戦いつづけて一気にランクを上げてもらうなんてことはもちろん、試合そのものもなかなか組んでもらえなかった。だから、急なマッチメークをされて、調整も充分じゃないまま戦わなくてはならないことがよくあったわ。そんなことを続けているうちに負けが込んできて、二、三年もするとそこいらにいる平凡なボクサーになってしまったの。でも、負け数より勝ち数の方がいくらか多かったから、大きくランクが落ちるということはなかったんだけどね。そんなときだったわ、マヌエル・サンチェスが日本に来たのは。マヌエルはほんとに強かった。日本で二戦して二戦とも凄《すさ》まじいカウンターでノックアウト勝ちを収めると、世界とか東洋に挑戦する可能性のある連中は恐れをなして逃げてしまった。そこでプロモーターは活《い》きのいい新人たちをぶつけるようになったの。あたしにどうかという話が持ち込まれたのは、そういうボクサーの種も尽きたからだったというわけ。あたしは二つ返事で引き受けたわ。だって、マヌエルは当時の世界一位だったのよ。負けてもと、万一勝てば世界ランカーになれるかもしれない。それは日本チャンピオンになることよりもっと凄《すご》いことだったわ。ファイトマネーだって、いつもの二倍だったしね。すごいチャンスだと思ったわ。あたしはついている、なんてね。でも、マヌエルはあたしなんかの一枚も二枚も上だった。ノックアウトされて控室にかつぎ込まれるとき、観客のあざ笑う声が耳に入ってきた。格が違うんだよ、おまえとは。そう、ほんとに格が違っていた。そして、あたしの運もそれまで。その試合が終わってからのあたしの人生はまったくの下り坂」

私は言葉をはさむこともできず、ただ聞いていた。

「でもね、あたしには誇りがあったの。あのマヌエル・サンチェスと戦ったんだ。負けたけど、あのマヌエルとだったんだから仕方がないんだってね。あたしだけじゃない。マヌエルに負けてチャンスの芽をつぶされたボクサーたちはみんなそう思っていたに違いないわ。あのマヌエルに負けたんだから仕方がないって」

そういう思いは私にもなんとなくわかるような気がした。

「そのマヌエルが、また十五年ぶりに日本に来ると知ってあたしは驚いたわ。十五年たったということは、四十も半ばちかいはずなのに、まだボクシングをしているなんて。あたしがこんな体でこんなことをしているというのに、あの人はまだリングに上がっていた。あたしは自分自身を恥ずかしく思ったわ。あたしはマヌエルを一目見たいと思って試合場に行ってみたの。でも、リングに上がって、ガウンを脱いだマヌエルを見て、眼をおおいたくなった。あの黒光りして美しかった皮膚は生白くつやがなくなっていたし、あの鞭《むち》のようにしなやかといわれた体は醜くたるんでいた。それでも、どこかで信じていた。こんな青二才を料理するのに絶好調である必要はないのだろうって。そんなことはないってわかってはいたけど、そう信じないわけにはいかなかった……」

男は憑《つ》かれたような表情でしゃべりつづけた。

「試合が始まると、あたしはほとんどまともに眼を開けていられなかった。マヌエルは丸太ん棒のようにリングの真ん中に突っ立っているだけ。マヌエル、どうして動かないの。マヌエル、どうしたというの。マヌエル、どうして打ち返さないの。あたしたちを一発で沈めたあのカウンターはどうしたの。ああ、マヌエル……。そして三回、マヌエルはボディーを軽く打たれると、予定どおりというように倒れたわ。あたしは悲しくなって涙が流れそうになった。マヌエルがかわいそうだったんじゃない。あたしがかわいそうだったのよ。あたしと同じように十五年前にマヌエルに倒されたあたしたちがかわいそうだったのよ。でもあたしは涙を流さなかった。花道を引き上げていくマヌエルを見ているうちに腹が立ってきたからよ。あのマヌエルは金で買われてきた咬《か》ませ犬だったんだわ。あたしたちがタイや韓国でやっていたように、金で買われて倒れるためだけに日本にやって来た。そうよ、昔の名前を売り渡すことで金を稼いだのよ。そうすることであいつはファンを裏切っただけじゃなく、あたしたち、あの人に負けたことのあるボクサーすべての誇りも奪ったんだわ」

そこでひと息つくと、男は訊《たず》ねてきた。

「お酒を飲んでもいい？」

私がうなずくと、男は流し台の脇《わき》の戸棚からウィスキーの瓶を取り出し、コーラのマークの入ったコップに注いだ。

「おにいさんも飲まない？」

首を振ると、男はコップの中の濃い山吹色の液体を、少し眉《まゆ》をしかめるようにして一気に飲みほした。

「昔は、体に悪いからってぜんぜん飲まなかったのよ。なんて馬鹿《ばか》だったのかしら、こんなおいしいものを」

そして、またコップに注ぐと、こんどはチビチビと飲み出した。

「それで？」

私は先をうながした。

「それで……そう、あたしは客がぞろぞろ帰る中を流れに逆らってリングの裏手の地下にある選手の控室に行ったわ。ふらふらっとね。何をしに行ったのか、どうしようと思っていたのか、自分でもよくわからなかった。あのマヌエルをすぐ近くで見たかったのか、それともなじりたかったのか。あたしがいくら日本語でなじったって、罵《ののし》ったって、あの人にはわかりはしない。でも、勝った日本人のボクサーの部屋には山のように人が押し寄せてきていたけど、隣のマヌエルの部屋は扉をぴったりと閉めて、ひっそりとしていたわ。しばらく横になっていたのかもしれない。あたしは通路でぼんやり立っていた。どのくらいたったかしら。ようやくマヌエルが出てきたわ。ガウンを羽織って、医務室に試合後の検査を受けに行くところのようだった。あたしは思わず、マヌエル！　って呼び止めていたの。マヌエル！　って。マヌエルはなんだというように生気のないどんよりした眼であたしを見たわ。もちろんあたしのことなんか覚えているはずもない。あたしが黙ったままじっと見つめていると、マヌエルは弱々しく眼をそらして歩き去ろうとしたわ。その姿に、あたしはまたさっきの怒りが思い出されてきて……」

そこで、ふっと男は黙り込んだ。しばらく待ってから、私は待ちきれずに訊ねていた。

「そして、どうしたの？」

「あたしの右手が瞬間的に動いてしまったの」

「殴り掛かったの？」

「そう」

「マヌエルに？」

「……でも、その次の瞬間から記憶がないの。気がつくと、廊下の床の上で伸びていた。あのマヌエルの左のカウンターは、あたしにだけは昔のままだったというわけ」

そこで男は自嘲《じちよう》するように笑った。しかし、男の話に聞き入っていた私は、よけいな言葉を差しはさめないほど心を動かされていた。マヌエルの左は自分にだけは昔のままだったという台詞を聞いた瞬間、自分の体にパンチが叩《たた》き込まれたかのような衝撃を受けた。いま、自分の眼の前にいるのは、これまで会ったことがないような勇敢な人物なのだ、と思えた。その控室の前では、倒したマヌエルより、倒された男の方がはるかに迫力があったに違いない。たとえどんなに奇妙な服装をしていようと、たとえどんなに不自然な女言葉を使おうと、その勇敢さに傷がつくものではないのだ……。

男の酒を飲むピッチが急に早くなった。

「マヌエルは凄いボクサーだったわ……速い足に鋭い眼……相手がいくらパンチを振るってもひとつも当たらないのよ……ロープに少しずつ後退してね……相手がここで

一気に勝負をつけようとパンチが大きくなると……そこを狙《ねら》いすましたカウンターで打つのよ……その一発で勝負は決まり……すると表情も変えずにすたすたと自分のコーナーに戻っていくの……本当はニュートラル・コーナーに行かなければいけないんだけど……もう終わりだってわかっているのよ……ほんとに強くて……ほんとに綺麗《きれい》で……いま思い出しても惚《ほ》れぼれするほどだったわ……」

私は男の言葉の調子に妙なものを感じたが、それもショックと酔いのためなのだろうと思えた。

「アメリカでもずいぶん探したわ……あんな体をした男がいないかって……でもいなかった……いたらあたし……」

男はしゃべりながら、ごろりと畳の上に横になった。しばらくすると、いつの間にかひとりごとのような話は途切れ、そのまま眠り込んでしまった。私はロック歌手のポスターが貼《は》ってある押し入れを開け、毛布を出して上から掛けてあげた。そして、男を起こさないようにそっと部屋を出た。

2

翌日、男は風呂《ふろ》屋に来なかった。次の夜も、その次の夜も来なかった。もしかしたら顔の腫《は》れがよほどひどくなっているのかもしれないと心配になってきた。見舞いに行こうかと思っていると、四日目の夜になって姿を現した。

その夜、ノレンをくぐって入ってきた男の様子を見て私は安心した。いつもの、時期おくれの女サンタクロースのような服を着ていたからだ。仕事に出られるくらいならかなりよくなっているはずだった。男は、私が湯舟に入っているのがわかると、私の洗い桶《おけ》があるカランを眼で探し、その横に坐《すわ》って化粧を落としはじめた。両手で湯をすくい、何度かこすると色黒の素顔が現れてきた。鏡に映っている右眼のまわりはまだ青黒くなっていたが、腫れはほとんど引いたようだった。私が湯舟を出て自分の桶の前に坐ると、いきなり男が話しかけてきた。

「こないだは、悪かったわね」

私は、別に、という意味を込めて軽くうなずいた。

「酔っ払っちゃって、あたし、変なこと言わなかった？」

最後にはサンチェスに対して意味がわからないことを口走っていたが、私は首を振って言った。

「何も」

「そう、それならよかった」

男は湯舟に入るため立ち上がった。

私は体を洗いはじめたが、腕を洗い終わらないうちに、男はもう湯舟から上がってきた。私が足を洗い終わると、それを待っていたように言った。

「背中を流しましょうね」

ありがとう、と私は素直に応じた。男は私のタオルに石鹸《せっけん》をぬると、それを背中でゆっくり上下させはじめた。

「綺《き》麗《れい》な肌ね。きめが細かくて、すべすべしてて、石鹸の泡のほうが粗いくらい」

それが済むと首筋からゆっくりと湯を掛けてくれた。

「ほんとに水を弾《はじ》くのよね。コロコロ、コロコロ……」

湯を掛け終わったとき、私は男に言った。

「背中、流そうか」

「あらっ！」

男がびっくりしたような声を上げた。そして、体をくねらせるようにこちらを向いて言った。

「ほんと、嬉《うれ》しいわ、お願いしようかしら」

私は男のタオルを受け取ると、石鹸をぬり、背中にまわってこすりはじめた。男の背中は思っていた以上に厚みがあり、がっしりしていた。皮膚はいくらかたるんでおり、タオルを上下させるたびに、首の真下にある黒い毛が二本生えたホクロが大きく動いた。しかし、これがボクサーの体なのだ。あのマヌエル・サンチェスと戦った体なのだ。私は力を入れてこすりつづけた。

「気持いいわ、ほんとに気持いいわ」

男は私が洗っているあいだ中そう言いつづけた。

風呂屋を出たあと、私は勧められるままに男の部屋についていった。私は酔っていない状態の男からマヌエルとの試合がどんなものだったかもっと詳しく聞きたかったのだ。しかし、コタツに入ってそれを切り出すと、男はつまらなそうに質問をさえぎった。

「負けたのよ、それだけ」

私はどんな風に負けたのかが知りたかった。

「ノックアウトよ」

それは先日の話でわかっていた。しかし、ダウンさせられたのはどんなパンチで、どのように倒れたのか。何度ダウンし、ノックアウトされたのは何ラウンド目だったのか。知りたいことはたくさんあった。

「どうでもいいじゃない、そんなこと」

男はじゃけんに言うと、またウィスキーの瓶を取り出し、コップについだ。それを一気に飲みほすと、さらにウィスキーをコップにそそぎ、一口ずつすするように飲みはじめた。それが男の飲み方のようだった。私がそれをじっと眺めていると、男が逆に訊ねてきた。

「おにいさん、何かスポーツしてるんでしょ」

「もう……してない」

「前はしてたの」

私は黙ってうなずいた。

「何をしてたの」

「……跳んでたんだ」

「へえ、跳んでたの」

その口調には冷やかすような響きがあった。私は馬鹿《ばか》にされたような気がして口をつぐんだ。

「ごめんなさい、そんなつもりじゃなかったのよ。ただちょっと驚いたもんで」

「いいんだ」

「跳ぶって、どんな風に」

「陸上競技で、走幅跳びをしていたのさ」

「やめちゃったの？」

「そう」

「どうして？」

説明しても理解してもらえるとは思えなかった。だから、私はその質問をはぐらかすように言った。

「そっちこそ、どうしてボクシングをやめたの」

男は苦笑して言った。

「日本じゃもう芽が出そうもないから、小さなツテを頼ってアメリカに渡ったの。ハワイからロサンゼルスへ行ったわ。そのダウンタウンのジムで練習させてもらったとき、自分はだめだということがわかったの」

どうして、と私は訊ねた。

「そこには強いボクサーがごろごろしていたのよ。ランキングにも入っていない四回戦ボーイが、あたしなんかよりはるかに強いの。強いのがひとりやふたりならそれはかまわない。マヌエルに負けたって、それはそんなにショックじゃなかった。でも、ロサンゼルスの前座でメキシカンの四回戦ボーイに負けたときはショックだったわ。もうあたしにはこの世界で望みがないことがわかった。どんなにうだつがあがらないボクサーでも、ボクサーはボクサーであるかぎりどこかで世界チャンピオンを夢見ているものなのよ。もしかしたら、いつかすごいチャンスが巡ってきて、奇跡のようにすばらしい試合ができるかもしれないってね。でも、そのジムには、あたしより強いボクサーがそれこそ何十人といたの。黒人やメキシカンやなんだかんだとね。もしかしたらその連中のたったひとりになら勝てるかもしれない。ふたりだってなんとかなることもある。でも、そいつら全部をやっつけることはできやしない。あたしには世界チャンピオンになれる可能性が百万分の一もないということがわかったのよ。自分が世界チャンピオンになれないと知って、それでもまだボクシングをやりつづけることはできなかったわ。あたしはボクシングを趣味でやっているわけじゃなかったんだからね。あたしはプロだったのよ……」

その話を聞いた瞬間、この男にならわかってもらえるのではないかという気がした。

「あんたはなぜなの？」

男にもういちど訊ねられたとき、私は思い切って話しはじめた。しかし、それはどうしても切れ切れのものにならないわけにはいかなかった。なぜなら、その理由が私自身にもよくはわかっていなかったからだ。

——ある日、それは去年の秋のことだったが、都内の中学生の有望選手を集めて、陸上競技の指導会というのが行われた。日本でも有数のコーチが参加し、ひとりひとりの選手に対して、欠点の矯正をしてくれたのだ。とりわけ、私の参加した走幅跳びには、かつてのオリンピック選手が来て、ていねいにコーチしてくれた。私はその人の前で何度もファールを繰り返した。距離は出るのだが、踏切板をわずかに踏み越してしまう。それを見ていた元オリンピック選手は、私に自分のタオルを持ってこさせると、長いまま四つに折り、踏切板の横に十センチほど手前にずらして置いた。タオルで私専用のラインを引いてくれたのだ。そして、その元オリンピック選手は助走を段階から眼の端にタオルを入れて走ってごらんと言った。私は言われた通りに助走をしはじめた。体を通り過ぎる風が心地よかった。そして、タオルから眼を離し、踏切板を強く蹴《け》ろうとした瞬間、元オリンピック選手の声が飛んできた。

「そこだ！」

私はそこを蹴り、高く跳んだ。その跳躍は、ファールをしなかったばかりか、出た距離も中学記録に近いところまでいっていた。メジャーで測りおえた記録を聞くと、元オリンピック選手は満足そうに笑い、この感じを忘れないようにと言った。君はきっといいジャンパーになるだろう、とも言ってくれた。しかし、私はその言葉を上の空で聞いていた。そして、そのときから私は跳べなくなってしまったのだ……。

「どうして？」

男が不思議そうに言った。踏み切った瞬間、私はこれまで経験したことがないほど高く跳んでしまったような気がしたのだ。

「それがどうしていけないの」

「どうして……」

私は言いよどんだが、正直に白状することにした。

「怖くなったんだ」

「何が」

私は笑われるかもしれないと思いながら答えた。

「もう……このまま降りてこられなくなるんじゃないかと……」

男は笑わなかった。

宙に浮いていた時間は一秒か二秒に過ぎない。しかし私にはそれが果てしなく長いものに感じられた。いつまでたっても地上に降りられないような不安を覚えた。この地球から切り離され宇宙のどこかに放り出されてしまったのではないだろうか。もう自分を繋《つな》ぎ留めてくれるものは何もない。浮いて、離れて、遠ざかっている。もう戻れない……。それは体の奥深いところから湧《わ》いてくるはっきりとした恐怖だった。

その日から跳ぶのが怖くなった。踏み切る瞬間にそのときの不安が甦《よみがえ》ってきて足を萎縮《いしゅく》させてしまう。跳ぶことはできるのだが記録はまったく伸びなくなった。いや、なにより宙を駆けていないことが自分にはわかってしまうのだ。しかし、高く跳んだときになぜあのような恐怖が湧いてきたのかがどうしてもわからなかった。幼いころは跳んでいる夢をよく見たものだ。家の屋根から屋根へ、ビルの屋上から屋上へ自由に跳躍しているその夢はとても気持のよいものだった。ところが、あの日、踏切板を強く踏み切って高く跳び上がったとき、かつて経験したことのない恐怖を感じてしまった。それは、いままで立っていたところから切り離され、透明でまったく抵抗感のない中空に吸い込まれていってしまうという恐ろしさだった。

「そうなの……」

男の声で我に返った。

「もう跳べやしないんだ」

私が投げやりに言うと、男は慰めの言葉を口にすることなくうなずいた。

「そうかもしれないわね」

その言い方に、逆に気が楽になった私は、自分が最も恐れている言葉を口にした。

「臆病《おくびょう》なんだろうか」

すると、男は強い口調で否定した。

「そんなことはないわ」

「それならどうして……」

「自分にもどうしようもないことって誰にもあるものなのよ」

それは私にではなく自分自身に向かって言っているようでもあった。

「……もう跳べないんだ」

私がまたつぶやくと、男が言った。

「いいのよ、跳ばなくたって。ここにいるのよ」

「でも……」

私が口を開きかけると、男はひとりごとのように言った。

「悲しいわね」

その口調があまりにも暗く沈んだものだったので、思わず男の顔を見てしまった。

「悲しいことね、諦《あきら》めるっていうことは」

そう言われると、私にもほんとうに悲しいことなのだと思えてきた。悲しいのは、跳躍した瞬間の心地よさを、もう思い出せなくなっていることだった。私の胸に、あらためて諦めたものの大きさが迫ってきた。

「飲まない？」

男がもうひとつのコップにウィスキーを注ぎながら言った。私はコップに手をのばし、生まれてはじめてのウィスキーを口にふくんだ。口の中がカッと熱くなり、吐き出しそうになったが、顔をしかめただけでなんとか飲み込むことができた。

男の飲むペースが少しずつ速くなってきた。そして、思い出したように、ひとりごとをつぶやいた。

「悲しいことね、諦めるって……」

男がしだいに酔っていくのがわかった。

「悲しいことだわ、諦めるって。ああ……いくらじゃけんにされても……嫌われても……好きは好きだしね。諦めるなんて……できないものよ……」

私には何のことを言っているのかわかりにくかった。私が黙っていると、男がとつぜん声の調子を変えて言った。

「ねえ、おにいさん、恋人はいる？」

ちらっと宮本真理子の顔が浮かびかけ、驚いた私はそれを打ち消すためことさら強い口調で言った。

「いない」

「ほんとにいないの」

「そんなのいない」

「そう……それはよかった……それがいちばん……」

そう言いながら、男はまたいつかの晩のように畳の上にごろりと横になった。

やがて苦しそうな寝息が聞こえてきた。しばらく待ったが酔いつぶれたらしく起きそうにない。私は立ち上がると、押し入れから毛布を出し、そっと掛けてから部屋を出た。

3

水曜日の四時間目の音楽はまたレコード鑑賞だった。おまえたちも受験勉強で疲れているだろうからというのが理由だったが、そうでなくとも大里は授業らしい授業をしたことがなかった。

私は大里が自分のいちばん好きな曲だと言ってセットしたマーラーの『交響曲第五番』を聴きながら、男とマヌエル・サンチェスとの試合について想像をめぐらせていた。それはいったいどんな試合だったのだろう。あの男はサンチェスのどんなパンチで倒されたのだろう。やはり先日と同じ左のカウンターだったのだろうか。そのときも一発でノックアウトされてしまったのだろうか。いや、そんなはずはない。倒されてもまた立ち上がったに違いない。あの男は勇敢に戦った。倒されても倒されても立ち上がり、ついに力つきてノックアウトされてしまったのだ。しかし、それは何ラウンドのことだったのだろう……。

私はいつの間にか椅子《いす》の背にもたれ、ズボンのポケットに手を突っ込んでいた。握ったナイフがかすかに熱を帯び、手のひらが少し汗ばんできた。ポケットから手を出そうとして、いつかの音楽の時間のことが思い出された。反射的に教室を見まわすと、今日もまた廊下側のいちばん後ろの席に坐《すわ》ってじっとこちらを見つめている井原と眼が合ってしまった。私は内心どきっとし、その驚きを悟られないように顔をしかめると、視線を窓の外に向けた。

雪が降っていた。水気を含んだ大きな雪が激しい勢いで空から落ちてくる。思いがけない雪に、気分がふっと浮き立ってきた。それはその冬はじめての雪だった。降りしきる雪を眺めているうちに、井原の視線のことも忘れ、ふたたび男とサンチェスの試合についての思いの中に入っていくことができるようになった。

そもそも、あの男はどんなボクサーだったのだろう。どんな相手にでも勇猛果敢に突っ込んでいくファイターだったのだろうか。それとも冷静に相手を見ながらポイントを稼いでいくようなアウト・ボクシングを得意としていたのだろうか。

しかし、私にはリングの上に立っている男の姿がどうしても想像できなかった。いちど試合をしているところの写真を見せてほしいと頼んだことがあったが、ボクサー時代の写真は一枚も残っていないということだった。私には男の十五年前のボクサー姿も想像できなければ、十五年前のマヌエル・サンチェスのボクシング姿も想像できなかった。あの醜く太ったサンチェスが、無冠の帝王と言われていたなどとは、とうていじられないことだった……。

突然、私の思いは中断された。薄く雪が積もりはじめた校庭に英語の吉岡がふらふらと出てきたからだった。

吉岡はいつものように赤いプラスチックの棒を振りまわしながらグラウンドの中央に出てくると、校庭をひとりで行進しはじめたのだ。棒でリズムを取り、しばらく歩くと直角に方向を変えて、また行進を続ける。何度か直角に曲がることを繰り返しているうちに、吉岡が行進しているのは私たちには見えない何かの建物のまわりであるように思えてきた。しかし、なんであんなことをしているのだろう。私と同じように雪が降って嬉《うれ》しいからなのだろうか。それとも、吉岡は変わった先生だという評判を維持するためにやっているのだろうか。

前の方でクスクスと笑う女子生徒の声が聞こえてきた。校庭の吉岡に気がついたのだ。その笑いに誘われて、窓際《まどぎわ》の席に坐っている生徒たちが外に眼をやり、同じように笑いはじめた。教室は急にざわつきはじめ、廊下側に坐っている生徒たちも伸びあがったり、椅子にのぼって眺めたりするようになった。それは大里の「静かに聴け！」という一喝でいったんは静まったが、またすぐに小さな笑い声があちこちから聞こえてきた。

教室に流れているマーラーの『交響曲第五番』は第何楽章目かが終わり、ほんのしばらくの休止のあとで、新しい楽章がゆるやかに始まった。それはまるで、澄んだ湖の底へ吸い込まれていく、冬の光のきらめきのような調べだった。静かで物悲しかった。それを聴きながら、校舎に囲まれた校庭でひとり行進を続ける吉岡の姿を眺めていると、そこが湖の底であるかのような気がしてきた。吉岡が行進しているのは湖の底に沈んだ幻の建物のまわりであり、水面からは音のない音楽のような雪が舞い降りてくる。その音のない世界で歩調を取りながら行進している吉岡の姿は、やはりどこか物悲しかった。

いつしか白髪のまじった吉岡の頭に薄く雪が積もっていた。雪は痩《や》せた老人の体を洗い清めでもするかのように絶え間なく降りそそいでいた。もしかしたら、吉岡は私に見せるためにあんなことをしているのではないか。ここに来て一緒に雪を浴びようと誘っているのではないだろうか。そう思いかけて、すぐに馬鹿《ばか》ばかしいと打ち消した。

だが、次の瞬間、そうか、と思いつくことがあった。あの男とマヌエル・サンチェスの試合について知りたかったら図書館へ行けばよかったのだ。吉岡の本もあったあの区立図書館に……。

以前、私は走幅跳びの昔の記録について知りたいと思ったことがある。そのとき、区立図書館のスポーツのコーナーで『陸上競技の歴史』という本を見つけた。そこにはオリンピックから始まってさまざまな種類の大会の記録が載っていた。あのシリーズの中に、確か『ボクシングの歴史』というのもあったはずだ。あの男がどのていどのボクサーかはわからなかったが、少なくともマヌエル・サンチェスが有名なボクサーであったことは間違いない。そうだとすれば、『ボクシングの歴史』に出ていないことはないだろう。もしかしたら、そこには日本で対戦した相手のことが出ているかもしれない。場合によったら、それがどんな試合であったかが載っていないともかぎらない。そう気がついたのだ。

放課後、いったん家に帰り、夕食の支度をしてから区立図書館に向かった。

食事は、日曜が父、水曜は私が作ることになっていた。それ以外の日はそれぞれ勝手にどこかの定食屋で食べる。別にあらたまってそのような取り決めをしたわけではなかったが、私が中学に入ってからはいつの間にかそういうことになっていた。私が水曜日に作るのは、それが部活のない唯一《ゆいいつ》の日だったからだ。食事を作るといっても私は近所のマーケットで揚げ物や出来合いの総菜を買ってくるくらいだったが、父は駅の近くの大きな肉屋に寄って牛や羊のいろいろなところの肉を買ってきては煮込み料理を作った。シチューにしろスープにしろ味付けは簡単なものが多かったが、私など名前も知らないような香辛料を使って複雑な味を出す。中でも私が好きだったのは、骨付きの羊の肉にジャガイモやニンジンやタマネギなどの野菜を入れた塩味のスープだった。それにもよそでは一度も食べたことのないような香辛料が入っていたが、私はそのスープを口にするとなぜかいつも不思議な懐《なつ》かしさを覚えた。

この日、私はマーケットの中の肉屋でトンカツを買い、炊飯器にスイッチを入れると家を出た。

雪は本降りになっていた。傘は持っていたが差さなかった。雪に降られながら歩くのはむしろ気持がよかったからだ。

寒さは嫌いではなかった。とくに耳たぶに針が突き刺さってくるような寒さの中を歩くのは好きだった。寒さが氷の鎧《よろい》となって、さまざまに湧《わ》き起こってくる思いを体の中に閉じ込めてくれる。なんだか、寒さが夢の密度を濃くしてくれるような気がするのだ。暗ければ暗いほど、寒ければ寒いほど、歩きながら見る夢は深くなっていく。外はまだ暗くなりきってはいなかったが、私は男とサンチェスとを頭の中のリングでさまざまに戦わせながら歩いていった。

図書館の閲覧室はすでに受験勉強の高校生や大学浪人で満員になっており、受付の前には席の空くのを待つ長い列ができていた。私は勉強する必要はなかったので、その横を通り抜けて入っていこうとすると、「あっ！」という小さな声がした。振り向くと、列の中にクラスの宮本真理子がいた。私も少し驚き、「やあ」とだけ言うと、そこを足早に通り過ぎた。私服の宮本は学校での地味な印象とまったく違って見えた。それは茶色のダッフルコートの下に着ているゆったりとしたタートルネックの白いセーターがとても華やかに映ったせいかもしれなかった。

私は受付で本を借りるためだけのカードをもらい、閲覧室の奥にある開架書庫に入っていった。趣味のコーナーにあるスポーツの棚を探すと、やはり『野球の歴史』や『水泳の歴史』のあいだにまじって『ボクシングの歴史』があった。私は書棚の前の床に腰を下ろし、マヌエル・サンチェスの名前を探しはじめた。

それは意外と簡単に出てきた。そこにはサンチェスがベネズエラ生まれであること、アマチュアで百二戦したということ、プロになってからの戦績が六十一勝四敗三引分けであることなどが記されていた。長く世界ランキングの一位を保ちつづけたがついにチャンピオンになれないまま引退したとも書いてある。この本の著者も、まさかその十数年後にみじめなカムバックをするとは予想もしていなかったのだろう。最盛期に来日し五戦したことが書いてあったが、対戦相手の名前は私でも知っているような有名なボクサーの二人しか載っていなかった。残りの三人はどういう名前で、どのような戦いをしたのかさっぱりわからない。どうしたら知ることができるのだろう……。

ぼんやり考えていると、頭上で声がした。

「石井君」

見上げると、そこに宮本が立っていた。

「勉強しにきたの？」

私がそう言い、君は、というように顔を見ると、宮本は少し恥ずかしそうに言った。

「まさか」

「わたしは勉強」

宮本は学校の近くで開業している大きな医院のひとり娘だった。こんなところで勉強しなくとも、家に個室がないはずはなかった。だが、私はどうしてここでと訊《たず》ねたりはしなかった。いずれにしても気まぐれ以上のものではないだろうと思ったからだ。

ところが、宮本は自分から理由を話しはじめた。

「家にいたくないの。あそこにいると、消毒薬の匂《にお》いが住まいの方にも流れてきてね」

なるほどそういうこともあるのかもしれない。しかし、あの病院特有の匂いが家にいたくないほど嫌悪《けんお》すべきものとは思えなかった。私が黙って顔を見上げていると、宮本も私の隣の床に腰を下ろしながら言った。

「あの匂いを嗅《か》ぐと、わたしもいずれは医者にならなければいけないのだなあと思って憂鬱《ゆううつ》になるの」

「医者は、いや？」

私は膝《ひざ》の上の本に眼を落として訊ねた。

「いやでもなんでも、わたしはあの家を継ぐことが決まっているの。医学部に行って、医者になって、お婿《むこ》さんをもらって、あの医院を継ぐわけ」

「そうか……」

私には自分の生きて行く道筋がはっきりしているのは悪いことではないと思えた。走幅跳びに熱中できていたときの私はどんなに幸せだっただろう。しかし、私は何も言わずに黙り込んでしまった。

そこでほんの少し話が途切れたが、やがて宮本が意を決したように言った。

「石井君」

私は黙って横を向き、宮本の顔を見た。

「あのこと、聞いた?」

「あのこと?」

「そう、実力テストの国語の答案を返してもらってわたしが泣いたっていう噂《うわさ》……」

「うん……」

「やっぱり、聞いたのね」

宮本が少し悔しそうな表情を浮かべながら言った。

その噂とは、二学期の始めに行われた模擬試験で、私が信じられないような点を取ったことに関係していた。他の教科はいつものように平均点以下だったが、ただひとつ国語だけクラスで二番の点を取ってしまったのだ。それはたまたま長い文章を読んで答えるだけの問題が中心だったので私などにもできたのだ。質問はうんざりするほど単純で、間違えた箇所といえば漢字の書き取りくらいのものだった。もちろん、私よりできた生徒はいたのだが、それは宮本ではなく、男子の学級委員だった。彼女は私に次いでの三番だったのだ。ところが、あとになって、彼女はその成績が悔しくて涙を流したという話を聞いた。学級委員の男子に負けるのはまだ我慢できるが私などに負けるとは、というのだ。だが、私はその話をほとんど信じていなかった。それは、あまり陰口をきく種のない宮本に対する、他の女子のやっと作り出した嘘《うそ》という気がしたからだ。それに、私には、成績というものに対してそのような執着をすることが心の底からは理解できないということもあったかもしれない。私にとって学校の成績などどうでもいいことだった。まして試験の結果など取るに足らないことだった。

「なんか、そんなことを言う奴《やつ》がいたから……」

私が言うと、宮本はきっぱりした口調で言った。

「あれは、違うの」

「いいんだよ、そんなこと」

「気にしてない？」

「あたりまえだろ。嘘に決まってるんだから」

「ありがとう。でもね、ぜんぜん嘘というわけでもないの」

嘘でもない？　いったい、どういうことなのだろう。私が何も言わずにいると、宮本が話しはじめた。

「先生が答案を返すときに上位五人の名前を発表したでしょ。そのあとで、おせっかいな女の子が、石井君に負けたことの感想を言わせようと席にやってきたとき、わたし、黙っちゃったの」

「どうして」

「……なんか、とても嬉《うれ》しくて」

「嬉しくて？」

「やっぱり、わたしが思っていたとおり石井君はできるんだって。でも、嬉しいなんて言ったらどんな噂を立てられるかわからないから、わざと暗い顔して黙っていたの。そうしたら、その表情を見ていた女の子に悔しくて泣いたとか逆の噂を立てられちゃった」

「ごめん」

私が困惑しながら言うと、宮本が明るい声を上げて笑った。

「石井君が謝ることじゃないわ」

「うん……」

「でも、よかった。どんな噂を立てられても平気だけど、その噂が石井君の耳に入って腹を立てなければいいなって、それだけが心配だったの」

「腹なんか立てるはずがないよ」

「そう？」

「君がそんなことで泣くはずがないから」

「そう、泣くはずがないわ」

宮本はそう言うと、少し顔を赤らめるようにして言った。

「だって、わたしより石井君の方が頭いいに決まってるんだから」

「そんなことはない」

「わたしは頭が悪いの」

「だって、君はクラスでいつも一番だろ」

「そんなの関係ないわ。わたしの頭の悪いのは自分がよく知っているの。だから勉強しないといい成績が取れないの」

宮本はそれをなんでもないことのように言ってのけた。私が黙っていると、さらにこう続けた。

「いいなあ石井君は頭がよくて」

私は苦笑するよりほかなかった。

「絶対に間違いないわ。もし石井君と同じ高校に行ったら、高校三年までに成績なんか全部の教科で抜かれてしまうに決まっている。私は高校一、二年くらいまではなんとか優等生でいられると思うの。もしかしたら、その成績のおまけで医学部に入れるかもしれない。でも、それだけ。あとは平凡な大学生になるしかないの。ほんとは勉強なんかじゃない、もっと別のことをしたいけど、何も思いつかないの。ピアノはやっているけど才能ないし、スポーツはまるでだめだし、医者になるくらいしかないの」

憂鬱そうに言ってから、小さく唇を嚙《か》んだ。また、ほんの少し言葉の続かない時間が訪れた。宮本は、どうしようか迷っているようだったが、しばらくして思い切ったように言った。

「うまく言えないんだけど、石井君はいつかわたしたちの手の届かない遠くに行ってしまう人のような気がするの」

「遠く？」

「石井君はいつも遠くを見ているでしょ」

「そうかな」

「そうよ、いつもいつも遠くを見ているわ」

自分では気づかなかったが、あるいはそうかもしれないと思えた。

「授業中も、放課後も」

「放課後も？」

「わたしは放課後、学級委員会のために残って会議をしているときなんか、いつも窓《まど》際《ぎわ》に坐《すわ》って校庭を見ているの。すると、いつも石井君が走幅跳びの練習をしている。わたし、それを見ているのが好きだったの。石井君が跳ぶと、わたしも跳んでいるような気持になれてね」

練習をしている自分のことを誰かが見ているなどとは考えもしなかった。しかし、宮本に見られていたと聞いても少しも不快ではなかった。

「石井君、助走する前に、体を少し動かしながら、しばらく跳ぶ方向を見ているでしょ。最初は、砂場を見ているんだと思っていた。でも、石井君の眼は砂場じゃなくて、もっと遠くを見ているんだって気がついたの。正面に建っている体育館よりもっともっと遠く……」

自分ではまったく気がつかないことだった。

「いつか、そこに行ってしまうんだろうな、石井君は……」

そこでまた会話が途切れた。私には何を話していいかわからなかった。すると、宮本が思いがけないことを言い出した。

「このあいだ、英語の時間に吉岡先生と喧嘩《けんか》しなくてほっとしたわ」

「どうして」

「わたしはあの中学校で本当に頭のいい人は二人しかいないと思っているの。石井君と吉岡先生。授業中も、二人にしかわからないことを話しているでしょ。わたしには うらやましくて仕方がないの。わたしもその会話に加わらせてほしい。でも、わたしは馬鹿《ばか》だからだめなの」

吉岡とのやりとりがそんなふうに受け止められていたということが意外だった。宮本は私たちが何か神秘的で高尚なやりとりをしていると錯覚しているらしい。あれが実際はどのようなものだったかを話してやろうと口を開きかけると、それより先に宮本が言った。

「今日、校庭で吉岡先生がひとりで行進していたのを見た？」

「うん」

「あれは石井君に向かって信号を送っていたんだと思う」

私は驚いて訊ねた。

「なぜそう思うの」

「はっきりとはわからないけど石井君に呼びかけているような気がしたの」

それを聞いて、私は胸の動悸《どうき》が速くなるのがわかった。私もあのとき、吉岡がここに来て一緒に雪を浴びようと誘っているように感じた。あれは私の思い過ごしではなかったのかもしれない。

顔が火照《ほて》ったように熱くなってきた。それにしても、私のクラスには、同じ情景を見て、同じように受け止める女子がいたのだ。

「ぼくも……」

私がそう言いかけたとき、不意に頭の上から声がした。

「ここは話をするところじゃないの」

書棚の整理にきた中年の女性の館員に真顔で注意されてしまった。館員がそこを離れると、宮本はいたずらっぽそうに首をすくめ、笑いながら私の耳元で囁《ささや》くように言った。

「怒られちゃったね」

その笑顔につられて、思わず私も声を出さずに笑ってしまった。

「席に戻った方がいいよ」

私が言うと、宮本もうなずいた。

「そうする」

立ち上がり、小さく手を振って閲覧室に戻っていく宮本の背中を見ながら、もう少し話していたかったな、と思っている自分に気がついて私は戸惑った。

しかし、一方で宮本がふだんとまったく違っているのに驚いてもいた。私と同じく宮本も教室ではほとんどしゃべらない。ホームルームの時間に学級委員として必要なことを伝達すると、あとは机で黙って本を読んでいたり問題集を解いていたりする。その宮本がこんなに積極的に話をするとは思っていなかった。しかも、話している表情が教室では見たことがないほど生き生きとしていた。

私はそこに坐ったまま、宮本の言葉を胸のうちで反芻《はんすう》していた。

自分より頭がいいと思っていた……思ったとおりで嬉しかった……いつもいつも遠くを見ている……いつか手の届かない遠くに行ってしまうような気がする……。

遠くに？　私がいったいどこに行くというのだろう。

宮本と話しているうちに忘れそうになってしまったが、開いたままの『ボクシングの歴史』が膝《ひざ》から滑り落ちて、わざわざ図書館にまでやって来た用件を思い出した。

私は書庫の入り口のカウンターに坐っている係の男性に事情を説明し、他に載っていそうな本はないか相談してみた。すると、古いボクシング雑誌にならでているのではないかと教えてくれた。ここでは三年分しか保存しないことになっているが、区の中央図書館にならあるかもしれないという。彼は親切にも電話をしてくれ、その雑誌なら創刊号からとってあるということを確かめてくれた。

私はその足で中央図書館へ向かった。

事務室へ行くと、電話を受けてくれた係の人が、書庫の裏の保管室に入って、十五年前のボクシング雑誌を出してくれた。それは紺色の固い表紙をつけて半年分を一冊にまとめたものだった。

一年分の二冊を借りて、一月号から順に黄色く変色したカビ臭いページをめくっていくと、目的の記事は三号にわたって載っていた。

マヌエル・サンチェスは日本に滞在した二カ月半のあいだに五試合をこなしていた。五戦五勝四KO。雑誌には、それらの試合の経過が細かく載っていた。

まず最初に出ていたのは、バンタム級の東洋チャンピオンを第四ラウンドで破った試合で、記事には「サンチェス、鮮やかなKO勝ち」というタイトルがついていた。

そして、アマチュアで鍛え抜かれたサンチェスの技巧に、日本で最も世界に近いバンタム級といわれていたボクサーが子供のようにあしらわれた、と書かれてあった。ロープ際におびきよせられ、たった一発のカウンターでキャンバスに沈んだ、とも書かれていた。アウト・ボクシングの冴《さ》え、とか、ロープ際の魔術師、といった言葉で溢《あふ》れていた。しかし、私には、テレビで見たあのサンチェスと、そのサンチェスとが、どうしても結びつかなかった。

最初の試合が行われたのが三月の下旬で、次は二週間後の四月上旬に戦われていた。相手は世界ランキングの九位に入っている期待の星ということだった。しかし、それも五ラウンドでノックアウト。次に戦ったのが日本一位兼東洋六位というベテランのボクサーで、サンチェスがただ一度ノックアウトを逃したのがこの試合だった。あとは、五月下旬の帰国までに、フェザー級の日本四位とバンタム級の日本十位と対戦し、それぞれ三ラウンドと五ラウンドにノックアウトで倒している。

しかし、その相手の中に、ボール紙の表札に記されていた「藤田」という名のボクサーはいなかった。もしかしたらあの男は歌手や俳優の芸名のようにリングネームというのをつけていたのかもしれないとも思い、雑誌の前の方のページに載っている白黒のグラビアで探したが、サンチェスと戦っているボクサーに男と似た顔はなかった。どうしてだろう。マヌエルに顔面を打たれ、歪《ゆが》んだ瞬間が撮られているため見分けがつかないのだろうか。それとも、実際は第六戦というのがあるのだが、雑誌には載っていないということなのだろうか。調べてみると、第五戦は五月の二十二日に行われており、帰国は五月二十七日ということになっている。いくらなんでも、そのあいだにもう一試合するというのは無理な話だった。

私はしだいに不安になってきた。あの男はマヌエル・サンチェスと戦っていなかったのだろうか。

しばらく考えたが、どうしても理由がわからない。途方にくれて雑誌をパラパラめくっていると、最後のページに全クラスの二十位までのランキングが出ていた。男が当時何位だったのか知りたくなり、その表で名前を探した。ところが、バンタム級には藤田などという名前のボクサーはいなかった。前後のフライ級にもフェザー級にもなかった。藤田という名前はウェルター級のランキングの中にあったが、それ以外はどこにもなかった。念のため、年末の十二月号に載っていた選手名鑑で、ウェルター級の第一位にランキングされていた藤田という選手の顔を確かめたが、男とはまったく別人のようだった。

サンチェスと戦っていないばかりか、ボクサーでもなかったのだろうか……。

中央図書館を出た私は、腹立たしさに舌打ちしたいような思いだった。いまはもう、疑念が確信に変わりつつあった。

あいつがマヌエル・サンチェスと戦ったというのは嘘《うそ》だったのだ。あんな奴《やつ》がサンチェスと戦えるはずがなかった。いや、ボクサーだったというのも嘘に決まっている。

そういえば、あいつは何か話し出そうとするとき、眼を泳がせるようにして考え考えしゃべるのが癖だった。そうだ、あれは嘘をつくためのものだったのだ。話をでっちあげるためのものだったのだ。あいつは作り話を簡単に信じてしまった私を陰であざ笑っていたに違いない。馬鹿な奴だ、と。

私は、男に特別な感情を抱きはじめていた自分が恥ずかしくなってきた。あいつは勇敢な男でもなければ、ボクサーですらなかった。あいつは、あいつは……ただの……。

4

「どうしたの」

夜、風呂《ふろ》屋を出て、いつものように肩を並べて歩き出すと、男が顔をのぞき込むようにして言った。私は風呂の中でも男と口をきかなかった。そのまま何も言わずに歩いていると、男が笑いにまぎらせながらつぶやいた。

「へんなのね」

それでも私が黙っていると、焦《じ》れたように言った。

「何を怒ってるの」

そこで私は言った。

「嘘《うそ》だったね」

「何が」

「あんたがボクサーで、マヌエル・サンチェスと戦ったっていうこと」

「何を言ってるの」

「デタラメだった」

「そんなことないわよ」

「調べたんだ」

男は何か言いかけたが口をつぐんだ。

「図書館で古いボクシングの雑誌を見たんだ。そこにはマヌエル・サンチェス対藤田なんていう試合は載っていなかった」

「藤田？　誰、それ」

「あんたじゃないか」

「あたし？　あたしの名前は藤田なんかじゃないわ」

何を言い出すのだろう。苦し紛れにそんな言い逃れをしようとする男に呆《あき》れた。

「だって、部屋の前に藤田って書いてあるじゃないか」

「ああ、あれは、前に住んでいた人の名前よ」

「どうして取り替えないんだ」

「その方が便利だからよ」

「自分の名前を出しておかないなんて」

「出しておくといろいろ面倒なことがあるのよ」

「……そんな」

「だから引っ越してきたのよ」

私は少し動揺した。それを見て取ったように、男が自信を込めて言った。

「あたしはボクサーだったわ」

「嘘だ！」

「嘘じゃない」

「サンチェスと戦ってなんかいない！」

「戦ったわ。戦って、負けた」

「じゃあ、あんたの名前はなんていうんだ」

男は口ごもった。私は勝ち誇って言った。

「言えないだろ」

「言えるわ」

「じゃあ、なんていうんだ」

「……木村よ」

こんどは私が言葉に詰まる番だった。男の名前を探して何回も繰り返し雑誌の記事を読んでいたので、マヌエル・サンチェスの対戦相手については五人とも名前を覚えてしまった。その中に、確かに木村というボクサーがいた。サンチェスにとって最後の試合で、五ラウンド一分二十秒で決着がついていた。

「それなら、何ラウンドで負けた？」

「四ラウンド……確か四ラウンドだったわ」

「木村が負けたのは四ラウンドなんかじゃない」

「なら、五ラウンド。そんなとこよ」

「五ラウンド何分何十秒」

「うるさいわね！」

男がヒステリックに叫んだ。

「そんなこといつまでも覚えているはずないでしょ」

「嘘なんだ」

私がまた言うと、男は腹立たしそうに言った。

「それなら証拠を見せてやるわ」

「証拠？」

「あたしの写真」

「試合の写真はないと言っていたじゃないか」

「マヌエルとやる少し前に週刊誌のグラビアにちょっとだけ載ったことがあるのよ。寿司《すし》屋の店員をやっていたのが面白いと思われたんじゃないかしら。働いているふだんのところを撮りたいって」

私は自分の確信がぐらつくのがわかった。やはり、男の言うことは本当だったのだろうか。私の探し方がまずかったのだろうか。

「挑戦する青春とかいっちゃって、まったく馬鹿《ばか》みたいな企画だったけど、マヌエルに挑戦できるラッキー・ボーイということでね」

「ほんと？」

「ほんとよ。切り抜いてとってある」

「部屋に？」

「押し入れのどこかにあるはずだわ」

嘘だろうと思いながら、どこかに信じたいという気持も残っていた。

「疑うなら見にきなさいよ」

行こうかどうしようか私は迷った。

「言うだけ言っておいて、証拠を見せるというと来ないなんて、卑怯《ひきょう》よ」

ちょうど、そこが別れ道だった。そのまま真っすぐ行けば私の家だったし、右に曲がれば男のアパートに向かうことになる。雪はやんでいたが、地面や枯れ草に薄く積もっていた。その雪を見ながら、わかった、と私は短く言った。

アパートにつき、部屋に上がって行くと、男はすぐにウィスキーの瓶を取り出し、コップについだ。

「あんたも飲みなさいよ」

「いい」

私は堅い声で断り、それより早く証拠の写真を見せてほしいと言った。

「あわてなくてもいいじゃない」

「早く！」

「わかったわ、探すから待って」

しかし、男はコップを口に運ぶだけでいっこうに探す気配がなかった。私にはまた疑念がきざしてきた。

そんな私の気持をわかっているのかいないのか、男は歌うようにしゃべりつづけた。

「……そう、あれは五ラウンド目だったわ。あたしのフックがマヌエルの顔面に軽くヒットしたの。すると、マヌエルが後退したの。観客はそれだけでたいへんな騒ぎだったわ。あたしは軽く当たっただけなのに、どうして後ろに下がるんだろうと不思議だった。観客は行け行けと叫び出すし、もしかしたら自分ではわからなかったけどそうとう相手にダメージを与えたのかしらなんて思いもしたわ。あたしはコーナーにマヌエルを追っていった。でも、コーナーを背負ったマヌエルの眼を見たときに、ああ失敗した、これは誘いだったんだって、わかったわ。逃げなければ……。でも、遅かった。あたしはそのまま眼をつぶるような気持で突っ込んでいき、カウンターを食らって、気を失った。このあいだと同じようにね。それでおしまい……」

私の心はまたかすかに揺れはじめた。

「ほんとに？」

「ほんと、ほんとに、そうだったのよ」

男はそう言いながらコタツから出ると、押し入れを開けてゴソゴソやりはじめた。

「おかしいわね、どこにいったのかしら」

そう言いながらなおもゴソゴソやっていた男が、急に嬉《うれ》しそうな声を上げた。

「あら、こんなものが出てきたわ」

それは茶色の大型封筒だった。男が放り投げてきたその封筒を勢いよく逆さにすると、ざっと写真の束が畳の上にこぼれた。

それはボクシングの写真ではなく、外国人の男と女が絡《から》み合った写真だった。私は思わず眼をそらせた。すると、男はその様子をうかがってでもいたかのように笑いながら言った。

「ごめんなさい、間違えたわ」

私は何も答えずそれを脇《わき》にどけた。

「こっちだったわ」

男がまた封筒を放り投げてきた。私はこんどは手を入れて何枚かを抜き出した。見ると、裸の男と男が写っている。一瞬、ボクサーが写っているのかと思ったが、すぐにまったく違う種類の写真だということがわかった。

いつの間にか後ろにまわった男がその写真をのぞき込んでいた。そして、私の首筋に男の熱く湿った息が吹きかかってきた。私は気持が悪く、体をずらし、写真を男に返そうとした。そのとき、いきなり男が両手で抱き締めてきた。私には何が起きたのかわからなかった。

「好きよ、あんた」

その瞬間、さまざまなことが一挙に氷解した。私は男の腕を振りほどこうとしたが、力が強くて振りほどけない。

「何をするんだ！」

叫びながら、足でコタツを強く蹴《け》って後ろに転がり、手がほどけた隙《すき》に立ち上がった。男は畳に転がったまま笑いながら私を見上げていた。

「好きよ、あんた」

男はまた言った。私は驚きのあまりうまく言葉が出てこなかった。男はゆっくり起き上がり、私の肩に手を掛けた。私はその手を払いのけた。

「好きよ、あんた」

怒りが喉元《のどもと》まで込み上げてきた。しかし、なんと言っていいかわからなかった。

「おまえは、おまえは……」

汚ねえオカマだ、と続けたかったが、その言葉を吐くことに強いためらいがあった。

「おまえの言うことはぜんぶ嘘だ」

「そんなことはないわ」

男はさとすような調子で言った。

「嘘だ」

「嘘もあるし、嘘じゃないこともある」

「ぜんぶ嘘だ」

「それならそれでもいいわ」

そう言うと、男はまた両腕を広げて抱きついてきた。私は男を思い切り突き飛ばし、叫んだ。

「さわるな！」

「何を言ってるの……あたしは……あんたに……」

「汚ねえオカマ！」

私が言うと、男は落ち着いて言った。

「そうよ、あたしはオカマよ。だから、いろいろ教えてあげるわ。ねえ、それだけよ」

「汚ねえ……」

私はそれだけ言うと、部屋を出て階段を駆け降り、玄関からサンダルをはいてアパートを出た。

私は歩きながら小刻みに震えていた。外気の冷たさで震えているわけではなかった。怒りに震えるということがどういうことかようやくわかった。

工場跡の空地を突っ切って歩いていると、男が追いかけてきた。

「待って！」

男の呼ぶ声を無視して歩きつづけた。

「忘れ物よ！」

その声に、ようやく自分の手に洗面道具がないことに気がついた。私は立ち止まり、男が追いつくのを待った。

「はい」

渡されたプラスチックの洗い桶《おけ》をひったくるようにして受け取ると、男に背を向けて歩きはじめた。

「ねえ、あんた、怒らないでよ」

私は無言のままだった。

「ほんの冗談なんだから」

また肩に手が掛かった。その瞬間、怒りが弾《はじ》けた。私は男に向き直ると、殴り掛かった。何発かが男の顎《あご》や胸に入った。しかし男は笑いながら、やめなさい、痛いわ、と言いつづけた。私がなおも殴っていると、男の右手が素早く動き、それが私の顎の下をかすった。かすったくらいだと感じたが、頭が大きくひねられた次の瞬間、私はガクッと腰から崩れ、一瞬気が遠くなった。

「……あら、ごめんなさいね」

男の声で意識を取り戻すと、私はいきなりタックルするように片足に取りついた。

「やめなさいよ」

私がなおも離さないでいると、男は膝《ひざ》で胸を押して隙間を作り、するりと足を抜いて腹を蹴った。私は息が詰まり、苦しさのあまり雪の積もった枯れ草の上に転がった。そこに男が身をかがめてきた。私の首に左手を入れ、抱き起こしてくれた。

「もうやめましょうね」

そう言いながら右手で私の体をさわってきた。ジーンズのウェストのボタンが外されると、苦しさが薄らいだ。あやうく感謝の言葉を吐きそうになって、飲み込んだ。息ができないような苦しみは去り、意識もはっきりしてきた。そのとき、冷やりとしたものがパンツの中に入ってきた。それが男の手だというのがわかるまで、ほんの少し時間がかかった。私は全力で暴れ出した。

「しょうがないわね……」

男は言うと、手を抜いて、立ち去った。

私はその足音を聞きながら、しばらく横たわっていた。雪と枯れ草の匂《にお》いがして、危うく涙が流れてきそうになった。私はそれをこらえるために低く声に出して言った。

「チクショウ……」

第五章

1

私は教室の窓のガラス越しに校庭を眺めていた。昼休みで踏み荒らされた土は、校舎の陰になっているところだけがまだ水気を含んで黒いままだった。一年生がまたサッカーをしている。あいかわらずボールに向かってみんなが殺到してしまうのも同じなら、転んだ生徒の運動着に泥がべっとりとついてしまうのも変わらない。いつもの校庭の、いつもの風景のはずだった。でも、私にはそうした風景のすべてが自分とはまったく無縁のものになってしまったように思えてならなかった。

無意識のうちに顎《あご》をなでていたらしい。手のひらで押さえたところに軽い痛みを感じて気がついた。一週間も過ぎているというのに、顎の骨と手のひらにはさまれた肉にはまだ痛みの火種が残っているようだった。眼を閉じてその痛みがどのくらいのものか量っていると、またあの夜のことが思い出されてきた。男の湿った唇が首筋に触れかかった瞬間が甦《よみがえ》ったとき、小さな身震いが走った。そしてその感触を振り払うためつぶやいた。

「チクショウ……」

そのとき、隣の列の金山に足を蹴飛《けと》ばされた。顔を上げると、黒板の前の根岸がこちらを向いていた。

「おまえだよ」

私に向けられた言葉だということはわかったが、そのまま視線を校庭に向け直した。

「何かひとりごとを言っていたようだが、みんなに聞こえるように言ってみなさい」

自分では口の中でつぶやいていたつもりだったが声になって出てしまっていたらしい。

「なんて言ってたんだよ」

根岸はいまにも怒りを爆発させそうになってきた。しかし、私は校庭を向いたまま黙っていた。

「おい、聞こえないのか」

根岸が苛立《いらだ》った声で叫んだとき、私は根岸に向かってわざとらしく一字ずつ区切って言った。

「チ、ク、シ、ョ、ウ」

根岸のこめかみに太い筋が浮くのが見えた。

「立ってろ！」

私は言われたとおりゆっくりと立ち上がった。宮本真理子が心配そうに見つめているのに気がついたが、私にはそれもただわずらわしいだけだった。私はまた視線を校庭に向け直した。砂場のふちに幼児をつれた老人が腰を下ろしていた。幼児は砂場に穴を掘っている。赤いプラスチックのスコップでひとり黙々と穴を掘っているのだ。私にはその姿がずいぶんと孤独なものに感じられた。

そういえば、つい最近もこんな風にして彼らを眺めていたことがあった。根岸に立たされ、校庭に眼をやっていた。そうだ、あれも午後の数学の時間だった。立っていた私は、風呂《ふろ》屋で初めて会ったあの男の言葉がどこからか聞こえてきたような気がして、一瞬あたりを見まわしてしまったのだ……。

私はしばらくして視線を教室に戻した。根岸は連立方程式の解き方を説明している。私には関係のないことだ。xやyやzの並ぶ式から、ふと視線を移すと、黒板の片隅に日直の書いた「二月九日水曜日（晴）」の文字が眼に入ってきた。あの男を初めて風呂屋で見かけたのは一月の中旬だった。あれからまだ一カ月もたっていないということが信じられなかった。もう何カ月もたったような気がする。そして、次の瞬間、私は舌打ちをしたいようなことに気がついてしまった。二月九日。すっかり忘れていたが、それは私の誕生日だった。父と二人だけで暮らすようになってからというもの、誕生日の祝いなどとはまったく縁がなくなってしまっていたが、二月九日が私の誕生日であることに変わりはなかった。それにしても、どうしてこんなときに誕生日がやってこなくてはならないのだ。十五歳の誕生日が、あの男によって汚されてしまった十五歳の誕生日が。

汚れを取り去る方法はないものだろうか。あの男の嘘《うそ》や妄想だけでなく唇や手のひらによってもなすりつけられてしまったこの汚れを……。

ふと、跳んでみようと思った。

校庭で練習しているクラブはどこもなかった。いつもならさまざまな色のトレーニング・ウェアーに着替えた生徒たちが、いくつもの集団を作って、それぞれのクラブの練習をしているはずだった。バックネットが張られている側には野球部員が、テニスコートには軟式テニスの部員が、そして野球のボールの行方を気にしながら、その反対側ではサッカー部員や陸上部員が。

しかし、今日は誰も練習していない。それは水曜日が休部日と決められているからだ。この日だけはどんなクラブも練習を休まなくてはいけないことになっていた。どの学年も授業は五時間しかなく、三時半頃から下校が始まり、四時になるとほとんどの生徒は帰ってしまう。

だが、私はトレーナーに着替え、校庭に出て行った。軽い準備体操をしたあとですぐに砂場に向かった。下校途中の三年の陸上部員が真顔で言って通り過ぎていった。

「文句いわれるぞ、先公に」

そうかもしれなかったが私はかまわなかった。ただ跳ぶだけなのだ。最後にもういちどだけ跳躍をしてみたいのだ。誰に迷惑をかけるわけではない。ただ放っておいてくれさえすればいい。私は、いつものように、踏切板から小石が埋め込まれているスタート地点まで歩いた。三十七メートルのその地点に立ち、砂場に向き直ると、自分は跳べるのだろうかという不安が頭をもたげてきた。その不安を振り切るように助走を始め、踏切板を思い切り蹴った。その瞬間、またあのときと同じ恐怖が体を走った。このまま大地を離れ、空のかなたに飛び散り、消え去ってしまうのではないかという、あの恐怖だ。

着地した私は、砂場からスタート地点に戻りながら、打ちのめされたような気分になっていた。やはりだめなのだ。私は跳ぶことができなくなっている……。

どこからか声が聞こえたような気がして顔を上げた。花壇と校庭の境にあるコンクリートの通路に井原が立っていた。私と眼が合うと、こんどははっきりと聞こえるように言った。

「カッコつけちゃって」

私は耳を疑った。こいつはまたやられたいのだろうか。私は井原を無視してトレーナーを脱ぎ、ランニング・シャツとトランクスだけの姿になった。スパイクの紐《ひも》を結び直し、何度か屈伸運動をするとスタート地点に立った。すると、斜め後ろからまた声が聞こえてきた。

「ひとりでイキがっちゃって」

私は井原の方に体を向けた。一瞬、井原の体がぴくりと動きかけたが、逃げ出さなかった。私は井原に近寄り、言った。

「やられたいのか」

すぐに謝ると思っていた井原は黙っている。そしてよく見ると、眼に不思議な光が宿っている。私は井原の胸倉を取った。しかし、井原の眼はさらにキラキラと輝きを増した。泣いているのかとも思ったが涙ではなかった。

「わかってるんだ」

そう言われて胸倉を摑《つか》んだ手に力が入った。

「おまえに何がわかる」

私が軽蔑《けいべつ》したように言うと、井原が口を歪《ゆが》めるようにして言った。

「じっと見てれば、みんなわかるんだ」

私はその予想外の台詞《せりふ》に対してどう言い返せばよいのかわからなかった。

「跳べないくせに」

井原が覆《おお》いかぶせるように言った。どうしてこいつはそんなことを言うのだろう。何か知っているのだろうか。そんなはずはない。私がそのことをしゃべったのはあの男しかいなかったからだ。

「もういちど言ってみろよ」

私が威圧するように言うと、井原はさらに眼を強く光らせながら言った。

「わかっているんだ、ぼくにはみんなわかってる。どうしてあんなに熱心に練習してたのに、秋になって急にやめてしまったのか、ぼくにはみんなわかってる。ずっと、ずっとおまえを見てきたんだ、どんなことだってわからないことはない。跳べなくなったんだ。おまえはもう跳べなくなったんだ、そうだろ？」

私はこの井原にいつも見られていたらしいことが急に気味悪くなり、摑んでいた胸倉を力いっぱい突き放した。よろめいて倒れそうになった井原は、危く踏みとどまると言った。

「もうおまえはただの中学生なんだ。なんの取り柄もない劣等生なんだ……」

私は内心の動揺を押し隠すため、もう相手にしても仕方がないというポーズを取りながら、井原に背を向け歩きはじめた。その背中に、追い打ちをかけるような井原の言葉が突き刺さってきた。

「おまえは、もう跳べないんだ。おまえは、何もできないんだ」

私はふたたびスタート地点に戻ったが、とてもスタートは切れそうになかった。もう跳べないんだ、という井原の言葉を頭から追い出さなくてはならなかった。スタート地点から砂場まで首や肩をまわしながらゆっくりと歩いた。踏切板の前に立ち、スパイクの跡がついた茶褐色の面をじっと見つめているうちに、私は自分が完璧《かんぺき》に跳躍している姿がイメージできるようになってきた。そこで私はスタート地点に戻ると、砂場に向かって気持を集中しはじめた。

だが、やはりうまくいかなかった。

助走を始めると、体いっぱいに不安定な恐れがひろがり、胸が苦しくなった。踏切板の手前でスピードは鈍り、ただ踏切板とスパイクを合わせるだけの踏切になってしまった。着地してから踏切板を見たところではファールはしていないようだったが、この恐怖心があるかぎり、もう走幅跳びの選手としての生命は終わったも同然のような気がした。

足を引きずるように歩いていると、誰かが背後から小走りで近づいてきて肩を摑んだ。その手を振り払って後ろを向くと、根岸だった。またか、と私はうんざりした。井原が言いつけにでも行ったのだろう。根岸は声を張り上げるようにして言った。

「どういうつもりなんだ、今日は水曜日だぞ!」

そうだ、水曜日で、俺の誕生日だ、と胸の中でつぶやいた。

「部活は休みのはずだろ」

これは部活などではなかった。だが、私は黙ったままそっぽを向いた。

「校則は守れ、みんなは守っているんだぞ!」

根岸の甲高い声は耳障《みみざわ》りだった。うるせえな、と声に出さずにつぶやいた。

「えっ? いまなんて言ったんだ」

私はこんどははっきり声に出して言った。

「うるせえな」

「おまえ、教師に向かって、なんて……」

ざらざらとした根岸の声が本当に耳ざわりだったので、私はその場から離れることにした。砂場に向かおうとすると、また肩を摑まれた。振りほどくと、根岸はよろめいた。かまわず歩いていくと、追いすがった根岸は私の前にまわり込み、

「こいつ！」

と叫びながら右の手のひらで頰を張った。ペシャという不景気な音しかしなかったが痛かった。痛みはどうでもよかったが、根岸の手で顔にさわられたのが不快だった。私は右手で拳《こぶし》をつくると思いきり根岸の鼻めがけて突き出した。まさか私が殴り掛かってくるなどと予期していなかった根岸は、小さな悲鳴を上げて尻餅《しりもち》をついた。

「教師に向かって……教師に向かって……」

そう喚《わめ》きながら起き上がってきた根岸の鼻の下からは赤い血が一筋くっきりと流れていた。それを手の甲でふき、そこに血がついているのを眼にすると、逆上したように殴り掛かってきた。しかし、私より小柄な根岸は、まるで喧嘩《けんか》の仕方を知らない子供のようにただ両手を目茶苦茶に振りまわしているだけだった。それをよけてもう一発殴ると、また簡単に尻餅をついた。そして、こんどは眼鏡が飛び散った。

向こうから教師が何人か走ってくるのが見えた。また立ち上がった根岸が殴り掛かろうとするところに、体育の教師が割って入った。私は社会科の教師に後ろから羽が

い締めにされた。教師たちは、口々に、やめなさい、やめてください、と叫んでいる。体育の教師に抑えられた根岸は、鼻血を校庭に滴《したた》らせながら、荒い息づかいで私をにらんでいる。教師たちからは、謝りなさいだとか、早く帰れだとかいう言葉が聞こえてくる。しかし、私にはほとんど何も耳に入らなくなっていた。ぼんやりと根岸の顔に視線を預けたままだった。根岸の顔を見ていたわけではない。見ていたとすればその向こうの何かだったろう。教師の手が体を離れると、私はいつもの癖で自由になった左手をポケットに入れようとした。しかし、それはズボンではなく、トランクスだった。左手はナイフには触れることもなく、トランクスの上をすべった。そのとき、あの男の顔が浮かんできた。そうだ、どうしてあの夜、ナイフを使わなかったのだろう。あのナイフで刺してやればよかったのだ。そうだ、刺して、殺してやればよかったのだ。そうだ……。

「殺してやる！」

小さくつぶやくと、根岸がびくっと体を動かして私の顔を見た。

2

学校からの帰り、家には戻らず、そのまま父の仕事場に向かった。

父の仕事場は、表通りに面してはいたが、工場というにはあまりにも狭かった。以前は菓子屋だった店舗を借りて、銅や真鍮《しんちゅう》を使う鑞《ろう》づけという特殊な溶接をひとりでやっていた。かつて勤めていた町工場が倒産して閉鎖されるとき、それまで父が任されていた仕事を引き継いで独立することが許されたのだという。

私には父がどうして溶接などという仕事をしているのかわからなかった。そこで、あるとき、訊《たず》ねてみたことがあった。すると、ふだんはあまりしゃべらない父が、いつにない情熱を込めてこんなことを言った。その町工場の工員になって、溶接用のガスバーナーを持たされるまで、自分が溶接をすることになるなどとは思ってもいなかった。しかし、初めて青い炎が吹き出るバーナーで鉄のパイプを溶かしていったとき、緑色の溶接用の眼鏡を通して見る鉄がとてもきれいに感じられた。熱せられた鉄は、赤からオレンジ色に変わるとトロリと溶けはじめる。バーナーの炎を動かすとその風圧で溶けた鉄も微妙に動く。そのときの炎と鉄は美しく、こんなきれいなものを見るのは初めての経験だと思った。そうやって鉄を溶かしていくと、ひとつの鉄を二つにすることもできるし、二つの鉄をひとつにすることもできることを知った。それ以来、溶接という仕事が好きになったのだよ、と。その返事は必ずしも私の疑問を解くものではなかったが、でもどうしてとさらに訊ねるようなことはしなかった。

その仕事場で、父はいつものように濃い緑色の眼鏡をかけてガスバーナーを握っていた。細い真鍮の線を溶かし、バーナーの炎を小さく動かしながらパイプとネジの部分を結合させていく。

私が入っていくと、ほんの少し顔を上げてこちらを見たが、すぐにまた視線をバーナーの炎に向けた。私もしばらくは、バーナーの青い炎と真っ赤に焼けた金属の美しいコントラストに見とれていたが、一段落ついたところで話しかけた。

「砥石《といし》はある？」

父はバーナーの火を消し、眼鏡を上げて私を見ると、何に使うのだとも聞かず、土間の隅においてある道具箱を指さした。その金属製の箱には、小さなハンマーやドライバーやペンチなどの工具が入っているはずだった。箱の蓋《ふた》を開け、引っ繰り返すようにして探してみると、底のほうに緑がかった灰色をした砥石が見つかった。私はそれを土間に置くと、いつも仕事場の隅に汲《く》みおきされているバケツの水を手ですくってふりかけた。ポケットからナイフを取り出し、刃の背中についているくぼみに親指の爪《つめ》をかけ、ゆっくりと引き起こした。ナイフは最後にパチンと小さな音を立てて止まった。

右手に柄をもち、左手の指先を刃の部分にあて、ゆっくりと押してみた。父親がいつもしていることを見様見真似《みまね》でやってみただけだったが、金属と砥石のこすれるシャッという音が心地よく聞こえてきた。私は繰り返しナイフを前後に動かした。粘土と水のまじりあったぬめりが刃の動きをしだいに滑らかにしてくれるようになる。一心に研いでいるうちに、ふと、また男の声が聞こえてきた。

「好きよ、あんた、教えてあげるわ……」

それとともに、パンツの中に突っ込まれた冷たい手の感触が甦《よみがえ》ってきた。

「チクショウ……」

思わず声に出してつぶやいてしまってから、父に聞こえなかったかどうか気になった。父の横顔を盗み見ると、あいかわらずの表情で、ガスバーナーの炎に溶かされた真鍮の動きを見つめていた。聞こえなかったらしいことに安心しながら、またこうも思っていた。いや、父はたとえ聞こえていても黙っているのだ……。

父はいつもそうだった。決して何も言わない。

「どうしても、一緒に行ってくださらないんですね」

母が言ったあのときもやはりそうだった。母のこんな悲しそうな物言いを初めて聞く私は、隣の部屋の二段ベッドの中で耳をそばだてながら体が固まったようになっていた。

「なんとか言ってください」

母は低く叫ぶように言った。しかし、それでも父はひとことも発しなかった。しばらくして、私たちの部屋の襖《ふすま》が開けられると、母が入ってきて私と妹を起こして言った。

「さあ、行くのよ」

妹は寝ぼけていたが、パジャマから洋服に着替え、身のまわりのものをリュックサックに詰めさせられるころにははっきりしてきた。母の思いつめたような様子に脅《おび》えながら、言われるままに用意をした。しかし、妹の用意が終わったときにも、私はただ立ちすくむばかりだった。それを見て、母は驚いたように言った。

「どうしたの」

しかし、私は黙ったままだった。母は訝《いぶか》しそうに私の顔を見つめていたが、やがて困惑したような表情を浮かべて言った。

「行くのよ」

それでも私が何も言わずにいると、母はことさら穏やかな口調で言った。

「あなたも口をきいてくれないの」

だが、あなた、という他人行儀な言い方が私の体をさらにすくませることになった。

黙っていると、また言った。

「早くしなさい、もう行くのよ」

それでも茫然《ぼうぜん》と立ち尽くしていると、母はかすかに苛立《いらだ》ったように言った。

「お父さんといたいの？」

そうではなかったが、どうしたらいいのかわからなかった。

「どうするの。お母さんと一緒に来るの、それともお父さんと一緒にいるの」

わからなかった。しかし、ここで母と一緒に行ってしまうのはいけないことのように思えた。母とは離れたくない。でも、父をひとりで残していくわけにはいかない。そうすることは、母の嫌っている卑怯《ひきよう》な子になってしまう。母と一緒に行くことは、むしろ母を悲しませることになるのではないか。いや、そんなはずはない。母は一緒に行こうと言っているのだ。でも……。混乱した思いを抱きながら、私は身を固くしたまま黙りこくっていた。

あのときの自分が、本当に母の望むように振る舞いたいと思ったのか、単に母を困らせたかっただけなのかはよくわからなかったが、私は結局、父と残ることになった。

「どっちにするの？」

最後の言葉を思い出すたびに、私は母を憎んだ。あんな子供に父親と母親を選ばせるなんて。母親と行きたいのは当たり前なのに。しかし、一緒に行ってしまえば、やがて後悔するようになることだけはわかっていた……。

そこまで思いをめぐらせたとき、また小さくつぶやいてしまった。

「チクショウ！」

しだいに刃がついてきた。ナイフをバケツの水で洗い、灰色のぬめりを落とすと、さっきまでとはまったく違う鋭い光を帯びるようになっていた。試しに、仕事場のスに汚れて黒ずんだ柱に刃を当ててみると、驚くほど滑らかに削れた。不意に現れた白い木肌からは饐《す》えたような木の匂《にお》いが漂ってきた。

3

私は風呂《ふろ》屋の手前の路地に街灯の光を避けるようにして立っていた。寒さだけではない震えを我慢しながら男を待っていたのだ。早く来ないかと思い、来なければいいとも思った。左手に持った洗い桶《おけ》には、広げたバスタオルの下に刃を起こしたままのナイフが入っていた。誰にもわかるはずはないのに、人が通るたびにびくっとして暗がりに身を隠した。

ずいぶん待ったような気がしてからさらにまた長い時間が過ぎたように思えた。ようやくネグリジェ姿の男がやってきたときには全身が冷えきっていた。声を掛けようとして、不審がられるかもしれないと気がついた。私はまだ風呂に入っていなかった。その私が少し歩こうなどと言えば、どうしたのだろうと警戒されてしまうかもしれない。それに、今夜はいつものようにサンダルではなく、運動靴を履いている。目ざとい男がその理由を知りたがらないだろうか。

そんなことを考えているうちに男は風呂屋のノレンをくぐってしまった。ここでこうして待っているのはもっと奇妙に思われるだろう。私はしばらくためらったのちに、やはり風呂に入ることにした。タオルの下のナイフの刃を元に戻し、ポケットにしまってから歩き出した。

少し遅れて湯から上がると、男は外で待っていた。

「ごめんなさいね」

私が黙っているのもおかまいなくしゃべりはじめた。

「こないだは、酔っ払ってたのよ」

「………」

「ほんとに悪かったわ」

「………」

「許してね」

「………」

私は黙って歩きはじめた。肩を並べてきた男はひとりでしゃべりつづけた。

「こないだは、あんなつもりじゃなかったのよ。自分でも何をどうしたかよく覚えていないの。ごめんなさいね」

「別に……」

男は私がそれほど腹を立ててないと見て取ったのか、顔をのぞき込むようにして言った。

「部屋に来ない？」

「………」

「証拠の写真が出てきたのよ」

「………」

「あれから必死に探したのよ」

「…………」

「ね、いらっしゃいよ。見て、お願いだから」

「…………」

「お話ししましょう」

証拠の写真？　話をする？　私は笑い出しそうになった。それを許したという意味に受け取ったのか、男はしだいに興奮した顔つきになった。私は自分が笑えるくらい落ち着いていることに安心した。

「あんたはほんとに綺麗《きれい》な子だわ、自分じゃわかっていないでしょうけど」

「…………」

「でも、あたしだって、きっとそういう頃があったんだわ。すべすべして、細くって……」

私たちは男のアパートの方に向かっていた。暗い路地を抜けると、工場跡の空地が近づいてきた。ここで私はやられたのだ。ここでやり返さなくてはならない。空地の中ほどに差しかかったとき、私はポケットの中のナイフを握りしめた。洗面道具を投げ捨て、ナイフの刃を起こし、私はいきなり男に向かって手を前に突き出した。

「あっ！」

男は小さく叫んでこちらに向き直った。びっくりしたような表情を浮かべてはいるが、苦痛に歪《ゆが》んだりはしていない。どこからも血は流れていなかった。焦《あせ》っていたため、コートを引き裂いただけだったのだ。

「何よ、どうしたのよ」

男はそう言いながら、私の手にあるのが何だかわかると、硬直したような笑いを浮かべて言った。

「冗談は止《よ》して」

それでも私が黙ったままナイフを構えていると、急に恐怖を覚えたらしく、あたりを見まわした。しかし、武器になるものはないとわかると、私が投げ捨てた桶の中から濡《ぬ》れたタオルを拾い、それを振りまわしはじめた。

「あんたは何を怒っているの」

私は黙ったままじりじりと間合いをつめていった。

「あんたはあたしになんの恨みがあるの。あたしはあんたに何ひとつ、ひどいことなんかしなかったわよ」

「うるさい！」

「あたしがあんたに何をしたというの」

「汚い手で……俺をさわった」

「どうしてそれがいけないの」

私は言葉が出てこなかった。

「あんたは綺麗な子だわ」

「黙れ！」

「綺麗なのよ。綺麗なものを綺麗と言って何がいけないのよ」

「俺は、オカマなんかじゃない」

「わかっているわ。だから綺麗なのよ。だからさわってみたかったのよ」

「俺は、俺は……男だ」

「そうよ。でも、あんたにはわかっていないでしょうけど、男の子なのよ。綺麗な綺麗な男の子。そう、あんたは何もわかっていない……」

男がまた歌うような調子で言った。

「俺にはみんなわかってる」

「あんたが何を知っているというの」

「おまえが汚いオカマだっていうことだ」

「それから？」

「それで充分だ」

「何もわかってないのよ、あんたは」

男は落ち着いたらしく、口元にうっすらと笑みを浮かべながら言った。

「あたしも本当は何もわかってなかった。アメリカに行くまではね。アメリカで一文なしになって、サンディエゴの刑務所に入れられて、あたしはいろんなことを教わったのよ。その中には覚えなくてもいいものもたくさんあった。でも、これは別。男だけが男にしてあげられることがある。女は男に何もできないの。それを知ってあたしは幸せになったのよ」

「うるさい！」

「何を怖がってるの」

「黙れ！」

「あんたも同じなのよ」

「違う！」

「いいえ、みんな同じなの。でも、それに気がつかないのは気がつきたくないから」

「勝手なこと言うな！」

「臆病《おくびょう》なのよ」

私はナイフを握り直すと、しゃべりつづける男に向かって黙って突っ込んでいった。避けた男の体と交錯し、その拍子に折り重なって地面に倒れてしまった。男は私の手にタオルを巻きつけ、ナイフを奪い取ろうとした。私はその手を振りほどき、刺した。転がった姿勢で力が入らなかったが、男はいままで聞いたことのない野太い声で叫んだ。

「いてぇー！」

私は半身を起こすと、もういちどナイフを思いきり突き出した。

「いてぇー、いてぇー！」

どこをどう刺したのかわからなかったが、男は悲鳴を上げてのたうちまわりはじめた。

「いてぇー、いてぇー、いてぇーじゃねぇかよー！」

私は素早く立ち上がり、男を見下ろした。だが、ザリガニのように丸くなって叫んでいる男の様子を見ているうちに急に恐ろしくなってきた。男が女言葉ではなく男としての叫び声を上げている。それが男の苦痛の大きさを物語っているようだった。このまま男は死んでしまうのではないか。私は混乱し、その場から逃げ出した。

私は走っていた。暗い道を選んで走っていた。それでも街灯や自動販売機の光がまぶしかった。逃げなくてはならない。逃げなくてはならない。逃げなくてはならないのだ。背後に迫った誰かに追い立てられるように闇《やみ》の中を走った。

徐々に呼吸が荒くなり、凍るような空気が喉《のど》にひりひりと突き刺さってくると、夜の静かな街に自分の呼吸音だけが響きわたっていくような気がした。それは自分のいる場所をみなに告げているのと同じだった。私は必死に呼吸を整えようとした。しかし、走っているとすぐにまた呼吸は荒くなり、ヒューヒューと肺の奥から出てくる息は、恐怖に駆られた幼児の悲鳴のように聞こえた。私は自分がどこからどこへ逃げようとしているのかわからないまま走りつづけた。

いつの間にか河原の土手に出てきていた。その土手は、夏のあいだ中、毎日のように学校と河原を往復しているときに通っていた場所だった。私は走るのをやめ、土手の斜面の枯れ草の上に腰を下ろした。暗がりの中でも自分が吐く白い息が見えた。荒い呼吸が収まると、小刻みに震えはじめた。私は立てた膝《ひざ》に顔を埋めた。すると、耳の奥で、いてぇ、という男の叫び声が響いた。いてぇー、いてぇー、いてぇーじゃねぇかよ……。

あの男はどうしただろう。死んでしまっただろうか。いや、そんなはずはない。私は男を刺したときのことを脳裡《のうり》に甦《よみがえ》らせた。眼の前には男の腹があった。しかし、私は一瞬そこにナイフを突き立てるのをためらい別のところを刺してしまったのだ。そこが腕だったか、足だったかは夢中でわからなかった。ただ、腹を刺すのをためらったということだけははっきり覚えていた。だが、たとえ死んでいなくても、傷を負わせたのは間違いない。病院に駆け込み、理由を訊《き》かれたら、男は話してしまうだろう。私に刺された、と。

そのとき、自分がナイフを持っていないことに気がついた。あの空地に落としてきてしまったのだ。私は絶望的な気分になった。拾いに戻ろうか。腰を浮かしかけて、すぐにその思いを打ち消した。

もういい。刺したのは私なのだ。いまさら戻ってどうなるものでもない。いずれ警察官が私をつかまえにくるだろう。もしかしたら、もう家に来ているかもしれない……。

不意に、低いうなり声のようなエンジン音が聞こえた。顔を上げると、河原に乗用車が滑り込んでくるところだった。橋の横から斜めに走っている側道を通って、土手の下の広い河原に降りてきたのだ。河の暗い流れは、対岸に一列に並んでいる街灯を映してキラキラと輝いている。その光を背に、黒いシルエットとなった車は私が腰を下ろしている土手の前を通り過ぎ、四、五十メートル離れたところで停車した。前の座席に二つの影が見えた。若い男女のようだった。二人は互いに前を向いて話をしていたが、しばらくすると運転席の影が片手で助手席の影の肩を抱いた。助手席の影は瞬間的に体を離す仕草をしたが、運転席の影が顔を寄せてくるとほとんど抵抗することなく受け入れた。

二人がキスをしているその姿を見て、私は自分がどれほど彼らの世界から遠く離れてしまったか思い知らされた。恋人同士が河原に車で乗りつけ愛をささやき合う。自分にはもうそんな時が訪れることはない。ありえるはずがないのだ……。

やがて、乗用車はUターンをすると、もと来た道をゆっくり走っていった。私は自分の大事なものがその車と共に消え去ってしまったような気がした。

エンジン音が聞こえなくなると、土手の周辺に静寂が訪れた。ときおり、静まり返った土手に坐《すわ》り込んだ私の耳元に、遠くを走る車の音が風に乗って届いてくる。その音を聞きながら、私はぼんやり思っていた。

あの車に乗った二人はいつもと同じ世界に戻っていくのだろう。しかし、私は自分のいた場所からはるか遠くに来てしまった。この土手の背後の、闇の向こうにあるはずの元の世界には、もう戻れないかもしれないと思えるくらい遠くに。そのとき、あの日の走幅跳びで、踏切板を強く踏み切った瞬間に感じた、地上から切り離されてしまったという恐怖が生々しく甦ってきた。

もう戻れない。もう戻ることはできないのだ……。

どれだけそこにいただろう。寒い、と思って我に返った。全身が冷えきり、知らないうちに握りしめていた拳《こぶし》は感覚を失ってなかなか開くことができなかった。私は家に帰ろうと思った。とにかく帰ろう。警官が待っているかもしれない。でも、逮捕されればされたでいいと思った。私は立ち上がり、歩きはじめた。

アパートの前にパトカーは停まっていなかった。近くの派出所の警官の自転車もなければ、いつもと違う気配もなかった。あの男は病院に行かなかったのだろうか。行くには行ったが傷の理由を告げなかったのだろうか。

階段の下まで来たとき、不意に涙がこぼれてきた。どうしてかわからなかった。恐ろしかったわけでもなく、悲しかったわけでもない。家に着いたという安心感からでもなかった。ただ涙が溢《あふ》れてきてしまったのだ。ジャンパーの袖《そで》で荒々しくぬぐったが、涙はまた溢れてきた。私は自分が泣いているということが信じられなかった。なんでだらしがないのだろう。私は階段に腰をかけ、涙が止まるまで、しばらく待つことにした。空を見上げると、星が見えた。ひとつ、ふたつ、みっつ、と数えているうちに、いつのまにか声を出していた。しかし、十三、十四、十五と数える自分の声がまるで他人の声のように遠く聞こえた。

いつのまにか涙は止まっていた。ジーンズをつたって尻《しり》からコンクリートの冷たさが滲《し》み込んでくる。私は腰を上げ、階段を昇った。足がひどく重かった。部屋の前で、しばらく立ち止まったままの姿勢でいたが、ノブに手をかけ、引き開けた。

中は暗かった。私はほっとした。父と顔を合わせたらなんと言ってよいかわからなかった。音を立てないようにドアを閉め、居間に上がった。父の部屋からは襖《ふすま》越しに細く光が洩《も》れてきている。まだ起きているようだった。茶簞笥《ちゃだんす》の上の時計を見ると、午前二時を過ぎていた。息をこらしていると、父の部屋からは本をめくる音が聞こえてきた。何か言おうと思ったが、口をついて出る言葉は何もなかった。電気をつけず、暗いまま台所の水道の蛇口をひねり、汚れてしまった手と顔を洗った。冷たい水が頰に突き刺さるように滲みてきた。流し台の横の小さな鏡で顔を見ると、窓からの光に照らされて頰が黒くなっているのがわかった。男と交錯したときに殴られていたらしい。

私は部屋に入り、パジャマに着替えてベッドに潜り込んだ。よほど冷えきっているらしく、小刻みな体の震えはいつまでたっても止まらなかった。毛布に少しずつ温《ぬく》もりが生まれてくる。それでも、なかなか寝つかれない。うとうとしかけては、また眼が覚めた。しかし、隣の部屋で本を閉じるパタンという音が聞こえてきたと思った瞬間、私は引き込まれるように眠っていた。

4

あの夜のことは、新聞にも載らなかったし、警官が家に来ることもなかった。理由はわからなかった。一週間ほどは脅《おび》えて過ごしたが、そのうちに警察沙汰《ざた》にならないで済みそうに思えてきた。

震えながらベッドに入ったあの夜から、私はほとんど丸一日眠りつづけた。熱が出たようだった。幼いころから熱を出すと必ず見る夢を、その日も断続的に見つづけた。

それは狭い部屋に横たわって天井を眺めているという夢だった。青い色の天井を眺めていると、やがて部屋中が歪《ゆが》みはじめ、天井から何かが降りはじめる。最初は雪か花びらかと思える軽く柔らかそうなものに思えるのだが、やがてそれが土だということがわかってくる。土は、私の寝ているまわりにうずたかく積もりはじめ、やがて私に向かって押し寄せ、いつの間にか私は埋まってしまう。だが、私は助けを呼ぼうともしない。その土が少しも重くなく、少しも息苦しくないからだ。ただ眼の前が暗くなる。そうすると、夢は終わり、深いところに吸い込まれていくような眠りに入る。そして、ふたたび眼が覚めると熱は引いているのだ。

だが、その日は、いつもの夢を繰り返し繰り返し見つづけた。私は初めてその土を息苦しいと感じた。すると、何度目かのときに、顔の上の土が取り除かれ、父の顔がのぞいた。父は私の様子を見ると、しばらくためらったあとで右手を私の額に置いた。しかし、それは風邪を引いたときなどに母が熱を計るためにしてくれていた置き方とは違っていた。父は指先をわずかに私の額に触れさせただけでじっとそのままにしている。それは指先から何かを注ぎ込むような、あるいは何かを吸い取るような不思議な当て方だった。やがて私は瞼《まぶた》が重くなり眼を閉じた。

そこから先は覚えていない。朝も昼も眠っていたらしい。眼を覚ますと夕方になっていた。まだいくらかふらつく体でトイレに立つと、居間に父がいた。

「食べられるか？」

そう訊《たず》ねられて、とても空腹なことに気がついた。私は黙ってうなずき、父がガス台に鍋《なべ》をのせて点火するのを横眼で見ながらトイレに入った。自分ではわからなかったが、私の動きはひどく緩慢だったのだろう。トイレから戻ったときには、テーブルの上の白い深皿にスープがよそわれていた。父がときおり作る羊肉と野菜のスープだった。私はよほど腹が空いていたらしく、ほんの二、三分で平らげてしまった。

皿から顔を上げると、私を見つめていたらしい父と眼が合った。その父の眼に、一瞬、悲しみに似たものが浮かんで消えた。それは鳥の影のようにとりとめのないものだったが、私にははっきりとその動きが見て取れたような気がした。もしかしたら、父は私に何かを言いたいのではないか。何かを告げたいのではないか。私は父の言葉を待った。だが、しばらくして、父が微笑しながら口にしたのはスープのことだった。

「おかわりは？」

私がまたうなずくと、父は椅子《いす》から立ち上がり、空いた皿を手に鍋に向かった。父が鍋から皿にスープをよそう後ろ姿を眺めていた私は、それにとても時間がかかるのを奇妙に思ったことを覚えている。ただ、杓子《しゃくし》で一、二度すくうだけなのに、どうしてそんなに長くかかるのだろうと。

そのとき、父にはわかっていたのだろうか。私の体のどこかに仕掛けられた起爆装置のタイマーが最後のときを刻んでいるということが。一分一分、一秒一秒、二人でいられるときが失われつつあるということが……。

私は父がよそってくれたおかわりもきれいに食べると、また部屋に入って眠った。次の朝、起きたときはもうすっかりいつもの体に戻っていた。

その日以来、風呂《ふろ》には遠くにある別の銭湯に行くようになり、通りで男と出くわすこともなかった。半月もすると、あんなことがあったというのも夢だったのではないかと思えてくるようになってきた。ただひとつの気がかりはナイフだった。あれから三日後、工場跡の空地に行ってみた。プラスチックの洗い桶《おけ》は草むらのあいだに転がっていたが、ナイフはどこにも見当たらなかった。いつもの癖でポケットに左手を突っ込み、そこにナイフがないことを意識するたびに、あの夜のことを思い出しかかって不安になった。

学校では頬を黒みがかった紫色に腫《は》らした私をみなが遠巻きにして眺めているようなところがあった。生徒ばかりでなく教師も同じだった。とりわけ根岸は、授業中も私の方を見ようとせず、何をしても気がつかないふりをした。一度だけ金山がどうしたんだと声を掛けてきたが、私は別にと言っただけで顔をそむけてしまった。宮本真理子も何度か話しかけようと近づいてくるのがわかったが、そのたびに背を向けて遠ざかった。頬の腫れは十日ほどできれいに消えたが、私は昼休みのデッドボールにも入らず、いつもひとりで自分の席に坐《すわ》っていた。

校庭での根岸との殴り合いは、先に手を出したのが根岸だったということで、不問に付された。卒業間際《まぎわ》の時期ということもあり、停学などをして問題の種を残すより、早く追い払ってしまった方がいいという判断が働いたのかもしれなかった。

やがて都立高校の試験の日がやってきた。どうせ合格するはずはなかったが、受けに行くだけは行ってみた。国語と数学の問題は解けたが、あとはよくわからなかった。

合格発表の日、連れ立って受験した高校へ見に行く仲間に入る気にもなれず、私は学校に残っていた。すると、しばらくして担任の佐々木が合格していることを教えてくれた。手続きの用紙をもらいに行ってこいとも言われた。合格を知らされたときには別段うれしくもなかったが、試験を受けた高校へ行き、受験番号を告げて職員から必要な書類の入った封筒を受け取ると、いくらか弾んだ気持になってきた。高校のまわりをほっつき歩いていると、いつの間にか日が暮れかかってきた。

駅に着いたときにはすっかり暗くなっていた。そのとき、あの男はどうしているのだろうと思った。それはこれまで考えないようにしてきたことだったが、弾んだ気持が恐れを閉じ込めていた箱の鍵《かぎ》を開けてしまったのだろう。

いったん男のことが気になると、頭から離れなくなってしまった。もちろん死んでなんかいないはずだ。傷を負わせはしたが重傷ということもないはずだ。もしかしたら、かすり傷ていどだったのかもしれないし、もう仕事についているのかもしれない。そうだとしたら、私はビクビクする必要はなくなる。

東口の階段を降り、映画館街を抜け、飲み屋の立ち並ぶ一角に足を踏み入れた。しかし、どこにも男の姿はなかった。やはり私は深い傷を負わせてしまったのかもしれない。まだどこかの病院に入ったままなのかもしれない。

電柱の陰に隠れ、以前男がプラカードを持って歩いていた通りを見ていると、不意に肩を叩《たた》かれた。驚いて振り向くと、そこにあの男が立っていた。逃げようとすると、学生服の裾《すそ》を摑《つか》まれた。

「待ってよ、おにいさん」

私はとっさに逃げようとしたことを恥じ、男に向き直った。

「何か用」

私が言うと、男は顔をくしゃくしゃにして笑った。

「それはあたしの言う台詞《せりふ》よ」

「別に用がないなら……」

私がそう言って離れようとすると、男が言った。

「ナイフ、どうするの」

やっぱり男が持っていたのだ。私が黙っていると、男はさらに言った。

「返すから、うちにいらっしゃいよ」

「…………」

「ねっ」

それは、いかにも、私が拒絶できないということをよく知っているかのような、押しつけがましい言い方だった。

そのとき、私は心の底から男に対する憎悪《ぞうお》が湧《わ》いてくるのを感じた。行ってやろう。そして、こんどこそ、間違いなく殺してやろう。武器は何でもいい。隙《すき》を見て、殴り倒し、殺してやる！

「いいよ、行くよ」

そう言うと、私はかすかに片足を引きずるようにして歩く男と肩を並べて歩きはじめた。道の両側の建物が覆《おお》いかぶさってくるような息苦しさを覚えた。私が大きく息を吸うと、男が薄く笑って言った。

「何を緊張してるの。まるで試合の前みたいに」

不意に、頭の中にいつもの廃墟《はいきょ》が姿を現してきた。白く太い大理石の円柱に太陽の光が輝いているのも同じなら、しばらく眺めているうちに、ゆっくりと柱が倒れはじめるのも同じだった。違うのは、その柱が一本だけでなく、次々と倒れていくことだった。倒れた柱はカラーン、カラーン、カラーンと音を立てつづける。

柱の倒れるその乾いた音を聞きながら、私は思っていた。この男を殺したら、私はもういちど跳べるようになるかもしれない、と。

第六章

殺人の容疑で逮捕された私は、二十日目に留置場から鑑別所に送られ、それからさらに二十八日後に家庭裁判所で審判が行われ、少年院送致が妥当という決定がなされた。

1

少年院での私は、中学時代とはうってかわった優等生だった。私は内部の規則を柔順に守り、教官の命じることを無感動にこなしていった。少年院につきもののリンチも、サラと呼ばれる新入りの時期に、寝込みを襲われる洗礼のような布団《ふとん》蒸しは受けたが、その後は「出院」の時期を遅らせることになる「事故」という名のトラブルにも見舞われることなく、四つに分かれた級の階段を足早に昇っていった。

少年院の中には、金山のようなさりげない友情を示してくれる院生もいれば、井原のような眼でじっと見つめているような院生もいた。黙っているのが気に入らないというだけで意味もなく突っ掛かってくる院生もいれば、一緒に徒党を組んで幅を利《き》かせようと露骨に誘ってくる院生もいた。だが、私はただひたすら優等生でありつづけた。それがこの少年院の中での最も楽な生き方であることがわかっていたからだ。そのうち、私が誰とも徒党を組まないことや、ひとり静かにしていることに文句をつける院生はいなくなった。もちろん、それでも、何かのおりに誰かと敵対せざるをえないこともあったが、私が優等生であるかぎりにおいて教官が守ってくれた。

ただ、一度だけ自分を自分の手で守ったことがあった。

あるとき、私のいる寮に古株の院生の兄貴分にあたるチンピラが入ってきた。少年院の側も、徒党を組ませないため、院生の出身地には特別な注意を払い、決して同じ地域の者を近づけさせない。しかし、その二人の場合は、ひとりが引っ越した先の土地で事件を起こしていたため以前の強いつながりがわからなかったのだ。寮は、半月もすると、その二人を中心にしてひとつの勢力が形づくられ、やがてそのグループは隠然たる力を持ちはじめた。そして、少しでも楯《たて》ついたと見なされると、いやがらせをされるようになった。私はそうした争いにはいっさい関与しないようにつとめていたが、その兄貴分が優等生然としている私の存在を目ざわりと感じたらしい。ある日、トイレに連れ込まれ集団でリンチを受けた。タオルを巻いた手で腹と胸を何十発も殴られた。顔はすぐに殴ったことがわかってしまうので服に隠れるところを集中的に殴る。しかも拳《こぶし》だと痕《あと》が残ってしまうのでタオルを巻いた手で殴るのだ。私の体には、拳で殴られたような青黒いアザは残らず、薄い蒙古《もうこ》斑《はん》のようなものが何箇所かに出ただけだったが、寝床に入ってからも絶え間なく鈍器で叩《たた》かれているような痛みを覚え、翌朝は便器に血を吐いた。肋骨《ろっこつ》の二、三本にヒビが入っていたかもしれない。翌日、風呂《ふろ》に入るとき、目ざとい教官にその痕を見つけられ、理由を訊《たず》ねられたが転んだためだと言い張った。教官は、あとで私を教官室に呼び、怖がらずに話してくれればきちんと対応してやる、そのままにしているとまたやられることになるぞ、と忠告してくれた。それでも私は黙っていたが、もちろんそのままにしておくつもりはなかった。

三日後、私は夕食の片付けの際に箸《はし》を一本くすねると、夜の自由時間のときにくだらない話題で笑い声を上げているチンピラのグループのところに近づいていった。

少年院は徹底的に私語を嫌う。院生同士がほんのわずかな言葉を交わしただけで懲罰の対象になるほどなのだ。それは院内で徒党を組ませないためだけでなく、出院後に親しくなった者同士でつるんで悪事をさせないためだとのことだった。だから、教官の前では決して私語はできないが、姿が見えなくなると新入りを見張りに立たせて羽を伸ばすのだ。

私が近づいていくと、何か因縁をつけにきたかと身構える兄貴分に、恭順の意を表するような調子で、肩でも揉《も》ませてくださいと言った。緊張を解いた兄貴分は、詫《わ》びを入れてきた臆病者《おくびょうもの》に対して鷹揚《おうよう》にうなずき、背中を向けた。私はしばらく何も考えずに力を入れて揉み上げた。最初のうちは警戒心を解かなかった周囲の連中も、私が仲間に入りたい一心でおべっかを使っていると判断し、またくだらない話に熱中しはじめた。それを見て、私はいきなりズボンにはさんであった箸を取り出すと、片手で兄貴分の頭を押さえ、下から鼻の穴に突き刺した。そして、低く叫んだ。

「動くな！　動くとこの箸は脳まで突き刺さるぞ」

私の迫力に飲まれて、兄貴分はもとより、周囲の連中も凍りついたように動けなかった。

「おまえたちのやったことは言わないでおいてやる。でも、こんど俺に手を触れたら、黙って殺すぞ。こんなところにだって、殺し方はいくらでもあるんだ」

それだけ言うと、私は兄貴分の頭から手を離し、鼻の穴から血に濡《ぬ》れた箸を抜いて、その場から立ち去った。

以後、彼らはいっさい私に手を出さなくなった。恐らく、私が少年院に入ったのは殺人を犯したからだということが、彼らの胸にあらためて重くのしかかるようになったのだろう。私はふたたび誰にも邪魔をされずに優等生であることができるようになった。

教官が優等生である私にてこずったとすればただ一点だった。彼らは院生にスポーツをさせたがった。スポーツをさせてエネルギーを放出させれば、それだけトラブルが減ると信じていたのだ。

午前中は全員にしごきに近いサーキット・トレーニングとランニングを課す。腕立て伏せ百回、腹筋百回、うさぎ跳び百回。それを三セットやってから十キロのランニングをする。私も最初のうちは苦しさのあまり吐いたりもしたが、二週間もしないうちに慣れてきた。午後は作業の時間になる。しかし、私のいた少年院では院長と次長がそろってスポーツ好きで、作業の時間も特別にスポーツをすることを許される院生がいた。院長の発案でできたバスケットボールのチームと、他の少年院との対抗戦のある剣道の選手たちだ。背の高い私に、ひとりの教官がバスケットボールをさせたがり、もうひとりの教官が剣道をやらせたがった。しかし、私は足の筋を痛めているという理由を楯にどうしても加わろうとしなかった。作業の時間は菜園で野菜を作った。

そして、自由な時間があると本を読んだ。

私のいた少年院には図書室がなかったが、近くの公立図書館から週に一度、移動図書館という名の巡回車輛《しゃりょう》がやってきた。ひとり三冊までということになっていたが、やがて館員と顔見知りになると、四冊でも五冊でも好きなだけ貸してくれるようになった。毎週決まって本を借りる院生など私以外にはひとりもいなかったからだ。私は手当たりしだいに読んでいった。
その巡回車輛には私がかつて貸本屋で借りていたような本格的な推理小説はのっていなかった。そうした小説は院生に悪い影響を与えかねないというのだ。要するに、本で少年院を出てからの犯罪の勉強などさせたくないということのようだった。そのため、小説としては、毒のない現代小説か面白味のない時代小説くらいしかなかったが、唯一《ゆいいつ》の例外として外国のハードボイルド風の小説があった。日本と状況が違い過ぎるので、外国製のものでは大した勉強になるまいと考えたのかもしれない。しかし、私にはよい暇つぶしになったし、いくつかは実際的な勉強をさせてもらうことになった。出てからのために犯罪の勉強をするつもりはなかったが、少年院でうまく暮らしていくための知識は得られた。ボールペン一本で人を殺す方法が出ていたのは、刑務所を舞台とするアメリカのハードボイルド小説の中だった。

少年院を出てからの私は、テストに追いまくられる毎日だった。大学入学資格検定試験、国立大学二部の入学試験、税理士の試験、そして公認会計士の試験。意外なこ

と に、私にはその試験のための勉強が少しも苦痛ではなかった。むしろ、公認会計士の試験に合格してからは、目標を失ってしばらく呆《ほう》けたようになってしまったほどだった。

私は公認会計士の資格を取ってからも篤志《とくし》面接委員が世話をしてくれた会計事務所を動かなかった。恩義を感じてというより、規模の小ささが心地よかったからだ。それでも、私が公認会計士の資格を取ったことで会計事務所としての仕事の範囲が広り、手狭になったオフィスを二度にわたって引っ越さなくてはならなかった。オフィスはただ単に広くなっただけでなく、場所も都心に近づき、スタッフの数も七人にまで増えた。私には以前の三人だけのときの方が楽しかったが、それについては何も言わなかった。過ぎたことについてあれこれと思い返す習慣は、少年院にいるあいだに捨て去っていた。

結婚したのは三十歳のときだった。相手は、私の事務所が会計監査をしている電子機器メーカーの女子社員だった。妻は別に経理部に所属していたわけではなかったが、その会社の小さなパーティーに呼ばれて知り合った。総務部で主として庶務的な雑用をしていたが、そうした仕事を楽しげにこなしていた。わたしは頭が悪いので、単純なことを繰り返すのが好きなんです。そう言って明るく笑う妻に私は最初から好感を抱いた。

初めて二人だけで食事をしたのは春の突風の吹き荒れる日の夜だった。レストランを出てネオンの街を歩いていると、突然、砂埃《すなぼこり》を巻き上げて風が吹きつけてきた。飛ばされまいと、思わず前かがみになるほど強烈な風だった。

すると、妻が言った。

「わたしにつかまって！」

私は妻の肩を抱き寄せると近くのビルの階段口に避難した。強風にあおられ看板でも吹き飛ばされてきそうだったからだ。

「ああ、驚いた」

そう言って笑う妻に、私は顔をのぞき込んで訊《たず》ねてみた。

「さっき、なんて言ったか覚えてる？」

「さっき？」

「そう、すごい風が吹いたとき」

「何か言った？」

「わたしにつかまって、だって」

「わたしが？」

妻はとっさのことでまったく覚えがないようだった。しかし、私に比べれば小柄な妻が、言うにことかいて自分につかまれと言ったのがおかしくてならなかった。

「よっぽど頼りないと思われているのかな」

私が笑いながら訊ねると、妻も笑って答えた。

「どこかに飛んでいっちゃうと困ると思ったのかもしれないわね」

そして、おどけたような口調で付け加えたのだ。

「どこにも飛んでいかないでね」

その言葉からは私への強い好意が感じられた。そして、その言葉はまた、妻を地下鉄の駅まで送ったあとの私に、中学三年のときの同級生の宮本真理子を思い出させた。宮本は、図書館の開架書庫の中で、私がやがて「遠い世界に行ってしまうような気がする」と言ったのだ。

少年院に入った私に定期的に手紙を書いてくれたのは宮本真理子だけだった。一カ月に一度、几帳面《きちようめん》なくらい正確に手紙が届いた。その手紙が私と外界をつなぐただ一本の糸だった。宮本には独特のユーモアのセンスがあり、自分を滑稽化《こつけいか》して、高校での出来事をおもしろおかしく伝えてくれた。私は宮本の手紙を読むのが楽しみだった。しかし、ただの一度も返事を出さなかった。少年院では肉親以外に手紙を書いてはいけないという規則があったが、たとえ許可されていても出さなかったろう。宮本の手紙を心待ちしながら、どこかで放っておいてほしいという矛盾した気持があったからだ。

宮本が高校二年になって手紙が来ない月があり、その翌月の手紙には前月書けなかったことの詫びを述べたあとでこんなことが記されてあった。

――以前、わたしはあなたが遠くに行ってしまうような気がすると言ったことがある。そのときにはその遠くの場所がどこなのかはわからなかった。一時は、もしかしたら、その少年院がわたしの感じていた遠くのところかと思ったこともあった。でも、いまは違うとはっきりわかる。なぜなら、そこがどこかわからないまま、いまのわたしがどうにかして行きたいと願っているところだということがわかるから。でも、強く願っていながら、決してその願いがかなわないとわかっているところだから。わたしはたぶん別のところに行くことになるだろう……。

それから手紙はふっつりと途絶えてしまった。来なくなって三カ月ほどたったとき、私は宮本に初めて手紙を書いた。そのときすでに院内で最上の級に上がっていた私は、教官のチェックさえ受ければ友人にも手紙が出せるようになっていたのだ。しかし、出す寸前で破り捨てた。返事を出すなら手紙が届いているときに出すべきだった。来なくなってから書くなどあまりにも未練がましすぎる、と思えた。そのとき、それまでとってあった宮本の手紙をすべて破棄した。

妻の言動はどこか宮本に似ていた。宮本に似ていたから好意を持ったのか、好意を持ったあとで宮本に似ていることを発見したのか、いまでもよくわからない。容姿はまるで違っていた。宮本がどちらかといえば小柄でふっくらとしていたのに対し、妻はスーツの似合うほっそりした体型だった。妻も宮本と同じく美人というのではなかったが、全身から潑剌《はつらつ》としたエネルギーのようなものがにじみ出ていた。歩いているところ、食べているところ、もちろん話をしているところ。そうした動きを伴った行為をしているときの妻からは、小さな光の粒子が飛び散っているかのような輝きを感じることがよくあった。しかも、妻は自分のその輝きに気づいていなかった。私は、自分を過剰に意識していない妻の、その生気に溢《あふ》れた姿を見ているのが好きだった。付き合って半年ほどして結婚を望んだのは妻だった。私も一緒に暮らす方が自然かもしれないと思うようになっていた。しかし、いざ結婚となると、過去のさまざまなことを説明しなければならないのが億劫《おっくう》だった。私はまだ自分が殺人を犯したということを話していなかった。妻も、私が過去の話をあまりしたがらないことから、なんらかの秘密を持っていることは薄々気がついているようだった。だが、初めて私の左腕に残っている一直線の傷を見たときも、小さく息を呑《の》んだものの、その理由については訊《き》こうとしなかった。それが私の語りたくない秘密につながることを恐れていたからだと思う。私を窮地に追い込むことを避けたかったのだ。妻は私が嘘《うそ》をついてその場を取りつくろうような性格でないことを知っていた。だから、もしその秘密が答えられないようなことなら、黙って関係を断ってしまうかもしれないと心配したのだ。それなら、秘密は秘密のままでかまわない。言いたくなったときに聞けばいい。妻にはそうした思い切りのよさがあった。しかし、さすがの妻も、まさかその秘密が殺人というようなものとは思っていなかったはずだ。ところが、私が意を決して話をすると、妻は別に驚きもせず言った。

「そう」

その呆気《あっけ》なさに、むしろ私が驚いて妻の顔を見たほどだ。すると、彼女が言った。

「問題はうちの両親だわ」

確かに両親の説得には時間がかかった。しかし、彼女は粘り強く説得し、結婚を許してもらえることになった。製薬会社に勤めていた父親が、会社内の出世競争に遅れをとり、深い挫折《ざせつ》感《かん》を覚えるようになった直後だったことが、公認会計士という私の資格に実質以上の幻想を持たせたのかもしれなかった。

結婚式は挙げなかった。それが結婚に際しての私の唯一の条件だった。これも両親に納得させるまで時間がかかったが、妻は妹のときには盛大な結婚式を執り行うよう説得するからと言って受け入れさせてしまった。やがて娘が生まれ、平和な結婚生活を送っていた。送っていたはずだった。しかし、少しずつ、妻の顔が暗くなっていった。理由は、恐らく私の側にあった。別に、私が浮気をするとか暴力を振るうとかいったことをしたわけではなかった。私が何を考えているのかわからない、と塞《ふさ》ぐことが多くなった。心がここにない、というのだ。

あるとき、妻が途方にくれたようにつぶやいた。

「ここにいるのに、ここにいない」

私は黙って聞いているより仕方なかった。

「何をしても許してくれるけど、何かをしようとあなたから言ってくれることはない。子供にもわたしにも」

確かに、私は妻の望むことは何でもした。だが、自分から進んでしてやったことはなかった。気がつくと、暇な時間は、父と同じようにいつも机に向かって本を読んでいた。私にはそれ以外にしたいことはなく、他にどのような振る舞いをしていいかもわからなかった。

「あなたはなぜ結婚したの？」

一度だけ暗い声で訊かれたことがある。私は本から顔を上げ、何も言わずにまた本のページに視線を戻した。そのとき私は、やはり自分は結婚すべきではなかったことを思い知らされたのだ。しかし、そのことに気がつくのが少し遅すぎた。

するど、妻がひとりごとのように言った。

「わたしは傲慢《ごうまん》だったのかもしれない……」

また顔を上げると、妻は放心したように言った。

「わたしはあなたを……」

だが、そこで口をつぐんだ。

やはり私は戻れなかったのだ。二十年前、私は夜の河原で膝《ひざ》をかかえながら、背後に広がる闇《やみ》の向こうの世界にはもう戻れないと痛切に思ったはずだった。しかし、妻に出会って、そのときの思いを強引にねじ伏せてしまった。私にもそうした世界に住むことが許されるのかもしれない、と。私にも何かができるかもしれない、と。だが、私にはそれが誰であっても何もしてやれることはなかったのだ。たとえ妻であっても、娘であっても……。

私はあの輝くようだった妻の表情を奪ってしまったということに深い罪悪感を覚えた。

ここ半年ほどは離婚という言葉をめぐってぐるぐるまわってばかりいた。そして、三カ月前に、妻は娘を連れて家を出た。妻が都心の住宅街にある実家に戻って二カ月目、私は離婚をすることに同意した。ささやかな財産の処分の仕方と娘の養育費に関してはすべて妻の望むとおりにすることを伝えてあった。それでも家庭裁判所での調停を受けなくてはならなかったのは、妻の両親が望んだからだった。妻の両親は、私が殺人を犯したことがあるのを承知で結婚を認めたが、いざ離婚という段になって不意にその過去が脅《おび》えの対象になってしまったようなのだ。具体的な私のどこということではなく、何かとんでもないことをしでかされるのではないかという漠たる不安と恐怖が頭をもたげてきた。かつて殺人を犯した。将来、自分たちも何をされるかわからない。それを防ぐために公的な機関で文書によってはっきりさせておこうと望んだのだ。

確かに私は人を殺した。彼らに恐れられても仕方がなかった。

2

あの日、高校入試の結果が発表されたあの日、私は駅前で出会った男と肩を並べて歩いていった。今度こそ、この男を殺してやるぞと堅く心に誓いながら。

暦ではもう春に入っているはずだった。しかし、私には、その日が、長い冬の最後の一日だったという気がしてならない。実際、建物の日陰に入ると鋭利な刃物に触れたような冷たさを感じたのを覚えている。

アパートに着き、部屋に入ると、男はいつものようにコタツのスイッチをつけながら言った。

「お坐《すわ》りなさいよ」

しかし、入り口付近で立ったまま私は坐らなかった。

「そうね、まずナイフね」

男は後ろ向きになり、小物入れの引き出しを開けるためにしゃがんだ。ちらりと見ると、流し台の横にまな板と包丁があった。いますぐあれを摑《つか》み、力一杯背中を刺し貫けば確実にこの男を殺すことができる。チャンスはいまだ。

——さあ、走るのだ！

しかし、私はそう思っただけで動けなかった。後ろからなんて卑怯《ひきよう》すぎる……。確かに卑怯すぎる。しかし、この期《ご》に及んでまだそんなことにこだわっている自分に強く苛立《いらだ》ってもいた。

引き出しから何かを取り出した男は、振り向くとそれを無造作に放り投げてきた。あわてて両手で受け取ると、それは間違いなく私のナイフだった。こんなに簡単に返してくれるとは思っていなかった。私はすぐにナイフの刃を起こすと右手に構えた。それを見て、男は目尻《めじり》を大きく下げるいつもの笑いを浮かべた。

「どうするつもり」

私は黙って男を睨《にら》みつけた。

「もう一度やる？」

私は男が平静であることに戸惑った。

「今度はしっかりやってね」

それを聞いて握ったナイフに力が入った。その言い方の中に私への侮《あなど》りが含まれているような気がしたのだ。いちど失敗した私を揶揄《やゆ》している。しかし、すぐにそれが自分自身に対する絶望感から発せられたものだということがわかった。

「いいわ、もういい、ひと思いにやって」

そこに含まれている徒労感の深さが私を射すくめた。

「どうせ長生きしたって仕方がないんだから」

そして、語調を強めて言った。

「さあ、殺して」

思いがけない言葉の連続に私は混乱し、考えをまとめるためにナイフの刃に眼を落とした。

「よくふいておいたわよ」

男が言った。

「でも、柄の中に入った血は綺麗《きれい》にならなかったわ」

確かに刃の根元には血がこびりついていた。

「あれでけっこう血が出てね」

どこをどう傷つけたのだろう。一瞬私が思いをめぐらすと、以前と同じく私の考えを敏感に察知した男が言った。

「一カ所は肩。これは大したことなかったけど、もう一カ所がひどくてね。見せましょうか」

男はそう言うと、パンタロンを脱ぎ、股引《ももひき》をずり下げた。

「見て、縫ったのよ」

腿《もも》の内側の、膝《ひざ》の十センチほど上のところに糸の縫い目もはっきりした赤紫の傷があった。

「上にもう少しずれていたら命はなかったろうって。あんた知ってた？　ここには太い動脈が流れていて、出血多量で死ぬことが多いんだって。闘牛士が牛の角に引っかけられて死ぬのは、大部分が太腿をえぐられるからなんだってさ。医者がそんなことを言ってたわ。なんでそんなことを知ってたかわからないけど」

私が傷を見て怯《ひる》むのがわかっていたのだろう。その効果を見計らったうえで男が懇願するように言った。

「どう、一度だけ、ねえ、一度だけ」

私は右手に持ったナイフを構え直した。しかし、男はパンタロンと股引を足首までずり下げたままの格好でこちらを向いていた。その滑稽《こっけい》な姿を見ているうちに、急速に気持が萎《な》えてきた。いつの間にか、アパートに着く《か》までは抱いていたはずの激しい殺意が消えてしまっていた。なんとかして怒りを掻き立てようとしたが、惨《みじ》めで滑稽な男の姿を前にそうした努力は空《むな》しかった。

私はナイフをたたみ、ズボンのポケットにしまった。背を向け、ドアに手を掛けると、男が言った。

「帰っちゃうの」

もしそれに嘲笑《ちょうしょう》するような響きがあったら、引き返して一気にナイフで刺し貫いたかもしれない。しかし、それはとても心細そうな声だった。

「行かないで。行っちゃだめ。行くとあんたは……」

私はそのまま廊下に出て、ドアを閉めた。背後から、男の悲しげな声が私を追いかけてきた。

「お願い、助けて!」

外はすっかり暗くなっており、急激に冷え込んできた。私は男のアパートを出てから、どこをどう歩いているかわからないほど茫然《ぼうぜん》と街をほっつき歩いた。どうして刺さなかったのだろう。あの包丁で刺せば、ナイフより確実に殺すことができたはずだった。どうして刺せなかったのだろう。人を殺すのが怖かったのか。殺人者になるのが怖かったのか。耳の奥で、おまえは何もできないんだ、という校庭での井原の言葉が響きわたった。

歩き疲れて家に戻ると、父はすでに帰っていた。父はテーブルで本を読んでいたが、私の顔を見ると読みさしの本を閉じて言った。

「お帰り」

テーブルの上には日曜でもないのに夕食の用意があった。

「先に食べたよ」

父が短く言った。

「うん」

私はそう言うと、鍋《なべ》に入ったシチューを温め直した。濃い土色をしたその牛肉のシチューは、ふつふつと煮立ってくると葡萄酒《ぶどうしゅ》の香りを放ちはじめた。

父は私が食べているあいだは一緒にテーブルに坐っていたが、私が食べ終わった皿とスプーンを流し台で洗い出すと、自分の部屋に入って本を読みはじめた。それはいつもとまったく変わらないことだった。しかし、そのとき、私の胸に激しく込み上げてくるものがあった。

どうしてだ。どうして父は何も訊《たず》ねず、何も言わないのだろう。高校の試験の発表についても。こんなに遅くなってしまったことについても。何もだ。心配もしなければ、叱《しか》りもしない。どうしてしないのだろう。なぜいつも黙っているのだろう。何もせず、ただ本を読んでいるだけではないか。そうだ、私が何もできないのは父のせいなのだ。あの男を殺すこともできず、ナイフを返してもらっただけで帰ってきてしまう。なんという臆病《おくびょう》さなのだ。臆病なのは父のせいだ。父の子だからなのだ。

——いや、おれは臆病なんかじゃない！

私は手を濡《ぬ》らしたまま、ポケットからナイフを取り出した。刃を起こしたナイフを右手に持つと、その手で左腕のワイシャツの袖《そで》をたぐり上げた。そして、その刃を左の腕に当てると、ためらうことなく一気に引いた。五センチほどの肉が白く二つに割れ、一拍置いてから赤い線ができ、血が盛り上がってきた。盛り上がった血は腕を伝って板の間に滴《したた》った。血は後から後から溢《あふ》れてきた。私は唇を腕に当て、血をなめた。この血は父の血とは違う。この血の味は父の血の味とは違うはずだ。そのとき、痛みを伴った激しい感情が体の奥底から湧《わ》き起こってきた。それが憤《いきどお》りなのか悲しみなのかわからないまま、ただ「ああっ！」という呻《うめ》き声だけが口をついて出た。

私は父の部屋に向かうと襖《ふすま》を思い切り引き開けた。座卓の前に坐った父は、本から顔を上げると、どうしたのだ、というような表情を浮かべた。私はそのまま何も言わずに父の顔を見下ろした。父は戸惑ったようだったが、私の左腕に眼をやり、血が滴り落ちているのを見ると、かすかに眉《まゆ》をひそめるような表情を浮かべて立ち上がった。そして、そのまま黙って私の横を通り過ぎ、居間の茶簞笥《ちゃだんす》の前に行った。眼の前を通り過ぎた父の背が私とほとんど変わりなくなっていた。私はそのことに動揺した。しかし、その動揺を振り切るようにして右手のナイフを構え直した。茶簞笥の上にのっている薬箱をテーブルに下ろし、消毒薬と包帯を手に振り返った父は、私の手にナイフが握られているのを見た。だが、それでもひとことも発しなかった。

——なんで黙っているんだ。何か言ったらどうなんだ。何か、何か言うことはないのか……。

しかし、父は黙って私を見つめていた。私はその眼に宿っている感情を読み取ろうとした。驚きでも怒りでもよかった。悲しみや憐《あわ》れみでもよかった。だが、そこからは、何ひとつはっきりとした感情を読み取ることができなかった。まるで湖の水面のような静けさを保っている。私は父の眼をじっと見つづけた。そして気がつくと、その湖面に映っている私は、みるみる父とそっくりの顔になっていく……。

それが私を急《せ》き立てた。

「違うっ！」

私はそう叫びながらぶつかるようにしてナイフを突き出した。ナイフはすっと父の体に吸い込まれていき、そのまま私までもが吸い込まれそうな不安を覚えて、声を出した。

「あっ!」

だが、その次の瞬間から、私の記憶は消えている。

3

風呂《ふろ》屋であの男と出会ってから父を殺すまでの二カ月の日々のことは克明に覚えている。一日一日というより、一時間ごとの私を思い出すことすらできる。それは必ずしも警察や検察でのしつこい取り調べの結果ではなかった。なぜ父を殺したのか。自分にもよくわからなかった私は、夜ひとりになると、留置場や鑑別所の布団《ふとん》の中で殺人にいたる日々の出来事を必死に思い出そうとした。その結果、細部の細部にいたるまで記憶を甦《よみがえ》らせることができるようになり、ほとんど完璧《かんぺき》に自分の行動をあとづけられるようになったのだ。

なぜだ、なぜ父親を殺したのだ。取り調べの過程でみなが知りたがったことはそれだった。私は弁護士の示唆《しさ》する偶発的な事故という主張をせず、一貫して刺すつもりで刺したのだと言いつづけたが、その理由についてはひとこともしゃべらなかった。私にもわからなかったからだ。

男と駅前から歩いていくときの、両側の建物がのしかかってくるような圧迫感と、殺してやるのだという震えるような昂揚感《こうようかん》ははっきり覚えている。それと、家に帰ったあとの、黙って本を読みつづけている父への痛みを伴った激しい感情も思い出せる。しかし、それがなぜ男を殺さず父を殺すことになってしまったのかとなると自分でもわからなかった。男は殺したいと思った。だが、父を殺したいとは思わなかった。それなのに偶然が父の命を奪ってしまった。すべては偶発的な事故だったのだ。そう考えることができないわけではないが、私を納得させはしない。あれは偶然ではなかった。たぶん、私は父を殺さなければならなかったのだ。しかし、なぜ私は父を殺さなければならなかったのかということになると不意に曖昧《あいまい》になってきてしまう。

しかも、刺す瞬間までのことはすべて思い出せるのに、刺した瞬間からあとのことになるとまったくわからなくなる。私の記憶がふたたび鮮明に甦るのは、救急隊員がやってきたところからでしかないのだ。

何度も、何度も、自分が父を刺した直後のことを思い出そうとした。だが、混濁した記憶の薄闇《うすやみ》の中から何かが顔をのぞかせそうになると、ふっと意識が遠くなる。一度は鑑別所の中でそのまま失神してしまったこともある。それでも、繰り返し繰り返しわずかに顔をのぞかせそうになった記憶を引き出そうとした。すると、そのたびに頭の芯《しん》がきりきりと痛むようになった。これ以上考えつづけると、自分の脳のどこかに損傷が起きてしまうのではないかと思えるほどの痛みだった。

私は父を殺してしまった理由を無理に見つけることをやめ、その点については「わからない」と言いつづけることにした。だが、そのうちにも学校での私の素行が調査され、とりわけ根岸に対する「凶暴さ」がこの殺人と結びつけられるようになった。私は精神的に「荒れて」いた。理由は家庭にあったに違いない。母親と妹が出て行ったあと、父親と何らかの「確執」があったのではないか。大方の質問の流れがそのような論理によって組み立てられていた。しかし、それでも私は「わからない」という以外まったくしゃべらなかった。一度は簡単な精神鑑定が行われたが別に私におかしいところがあるはずはなかった。私の「わからない」という言葉の洪水を、鑑定人はあまりにも深く衝撃を受けたため記憶を消そうとしているのだと解釈した。そのテストはいい加減なものだったが、半分は当たっていたことになる。

錯乱したあげく、父を刺してしまった。そのあとで、罪悪感から自殺を図ったが果たせなかった。彼らのその解釈を私の左腕の傷が補強した。私は腕を切ってから父を刺した。理由については「わからない」と言いつづけたが、その順序については何度も正確に話した。だが、誰にも理解してもらえなかった。自分の腕を切ってから父を刺すなどということはありえないというのだ。

私の「わからない」という言葉はまた、自分が犯した罪に対する反省のない証拠とも受け取られた。審判の結果を左右する重要な材料は事件を起こしたあとの反省の有無である。私に「少年院において二年の矯正教育を施す必要がある」という例外的に厳しい処分が下されたのも、父親を殺したことへの反省の様子がまったくうかがえないというのが大きな理由だった。少年院での私が優等生であったにもかかわらずなかなか仮出院が許されなかったのも、更生保護委員会の委員たちが、罪に対する反省の色がうかがえないことに不安を覚えたからだった。だが、なぜ殺してしまったのかわからない私にどのような反省ができたというのだろう。私は鑑別所から少年院へ移送された時点で、あの出来事を人に説明することを諦《あきら》めた。どうしてああいうことになってしまったのか、自分にさえ説明できないのだ。他人にわかるはずがない。あの瞬間の激しい感情は覚えている。だが、その激情がどのような道筋で生まれてきたのかがわからない。少年院にいるあいだもしばらくはひとりで考えつづけた。考えても考えても、あの激情と殺人とのあいだには大きな断絶があった。しかし、ある日、これ以上考えても無駄だ、もうおしまいにしようと思ったのだ。そして、すべてを封印した。

以後、私がこれまで父を殺した時のことをほとんど思い出さないでいられたのは、あの出来事をいっさい言葉にしなかったからだと思う。もちろん口から発する言葉だけでなく、頭の中で思いをめぐらす言葉としても。私はいつのころからかその封印は永遠に解かれないものと信じるようになっていた。

ところが、今日は溢《あふ》れるように思い出してしまったのだ。確かに、私が今日のこの電車の中で二十年前のあの冬の出来事を思い出すことになった最大の理由は、少年を見つめる中年男の眼だった。しかし、それだけが理由ではなかったかもしれない。ホモセクシュアルの男ならよく見かけるし、接待を受けてゲイバーに行くことがないわけではない。だが、今日のようには思い出さなかった。いつもと違っていたのは、今日が家庭裁判所からの帰りだったということだ。たぶんそれが大きく影響していた。自分ではさしたることではないと思おうとしていたが、やはり妻や娘と別れることに深いところで動揺していたのだろう。

事務所には一日休みをもらい、電車で裁判所に向かった。今日の家庭裁判所での話し合いで、私は妻と両親とその弁護士に対して彼らが望むとおりの文面の書類に判を押した。私は妻が自分勝手な要求を突きつけてくるような女でないことはよくわかっていた。条件については考えに考えたことなのだろう。いくらかは弁護士に焚《た》きつけられた部分はあったにしても、さほど常識から逸脱したものではないはずだ。私は自分のできることなら可能な限りしてやるつもりだった。ただ、娘ともういっさい会わないでほしいという一項だけはためらったが、最終的にはその項目も飲んだ。私も別れて暮らしながら時に父親として会うなどという中途半端《ちゅうとはんぱ》なことはしたくなかった。娘とのことは妻が私に課したたったひとつの罰だったかもしれない。だが、それが私にとって本当の罰になったかどうかはわからない。

昨夜はいくらか感傷的になっていたらしく、妻が撮った二、三歳のころの娘のビデオを見たりした。

再生のボタンを押すと、雪の日の映像が現れてきた。ベランダに雪が積もっている。モコモコした厚手のコートを着て、毛糸で編んだ手袋をはめた娘が、お盆のようなものを持ってベランダに出て行く。そして、その上に雪を盛り、ぺたぺたと叩《たた》きはじめる。どうやらウサギを作っているつもりらしい。ようやく形ができると、ビデオを撮っている妻に言われたらしく、花瓶に生けられた椿《つばき》の葉を取ってきて、頭の両側に差し込んだ。次に娘は、自分の部屋の道具箱からピンクのチョークを持ってきて、それを割って眼とおぼしきところに埋め込んだ。確かに、耳と眼ができて、雪の塊はウサギのように見えないこともなくなった。娘は喜び、手袋を脱いで、頭をなでてやっている。そこでいったん画面は切れ、こんどは太陽の陽差しに照らされたベランダが映っている。雪がまだあるところからすると、その翌日なのだろう。セーターを着た娘がベランダに出て、雪ウサギの前で何か話しかけている。ビデオにはその姿がえんえんと映し出されているだけなのだが、昨夜はそのシーンを見ているうちに、以前は気がつかなかったところに眼がいった。いつもは娘の仕草に気を取られてわからなかったのだが、お盆にのった雪ウサギが太陽の熱で溶け出していたらしく、眼の下にチョークの色がにじんだ細い流れができていたのだ。ピンク色に染まった涙のようなその流れは、私に犬のタローの眼からこぼれ落ちた薄い血のような色の液を思い起こさせた。そして私はあらためて自分の無力さを思ったのだ。

昨夜は風が強かった。ベランダを吹き渡るその風の音を聞いているうちに、幼い娘の寝床でおはなしを聞かせながら自分も一緒に眠ってしまったときの心地よさが甦ってきた。すべてが柔らかく暖かかった。もう取り返しがつかない。しかし、だからといって、やり直したいとは思わない。

妻に連れられて家を出て行くとき、娘が私に向かって言った。お父さんも一緒に行こうよ。その言葉は、母と出て行くときの妹の言葉を思い出させた。妹は立ちすくんでいる私に向かってこう言ったのだ。お兄ちゃんも一緒に行こうよ。

もし、一緒に行っていたらどうなっていたのだろう……。

父を殺したあとに付添人としてついてくれた初老の弁護士が、すぐに取り掛かったのは母と妹を探し出すことだった。しかし、八方手を尽くしてくれたがついに見つからなかった。もしかしたらどこか別の天体にでも行ってしまったのではないかと思えるほどまったく手掛かりがない。どこへ行ってしまったのだろう、搔《か》き消えたようにいなくなってしまった、と初老の弁護士は驚いたように言っていたものだった。君はまったくのひとりぼっちなんだなあ、とも。

弁護士にそう言われたとき、私にひとつの情景が浮かんできた。

父と母は仲がよかった。仲がよいというより、互いが互いをいたわり合っているという方が当たっていたかもしれない。父は毎朝規則正しく仕事場に出かけ、家に帰ってくるとただ本を読んでいる。そのような父に、外界の風を当てないように母は細心の注意を払っていたように思う。ささやかな地域との関わりや私たちの学校との対応はすべて母がひとりで処理していた。父は現実的なことから超越した日常を送っていたが、それはまた母の望んでいることのようだった。父と母が喧嘩《けんか》をすることはまったくなく、口争いをすることさえほとんどなかった。

父と母の口争いを聞いたのはただの一度だった。いや、それもよその家庭なら口争いとは言えない程度のものだったかもしれない。ただ普通に話していただけだが、それすらも口争いに聞こえるほど、ふだんは静かすぎるくらい静かにしか会話をしていなかったのだ。

それを聞いたのは私が小学校の四年のときだった。深夜、トイレに行きたくて眼が覚めた。ベッドから降りようとして、隣の部屋から母の声が洩《も》れてくるのに気がつき、思わず耳を澄ませた。

「……戻りましょう」

母が強い口調で言った。父に対してそのように明確な意志を表明する母の言葉は初めて耳にするものだった。父は黙っているらしく、母の声がまた聞こえてきた。

「あそこに戻りましょう。みんなが待っています」

それを聞いて、私は不安になった。これからどこかへ引っ越さなくてはならないのだろうか。

しばらくして父が言った。

「……もう遅い」

「いえ、あなたはあそこでまだやらなくてはならないことがあるはずです」

母の言うあそことはどこなのだろう。もしかしたら、そこは私たちにとっての田舎のようなところなのかもしれない。もしあそこが田舎でないとすれば、ここに引っ越してくる前に住んでいたところなのだろうか。このアパートに越してきたのは私が小学校に上がる直前のことだった。私の記憶はそのときからはっきりするのだが、それ以前のことはぼんやりしていてほとんど思い出すことができない。だから、ここに越してくる前にどんなところに住んでいたかはまったくわからないのだ。

父がまたしばらくして口を開いた。

「……やることはもうない」

すると、母は静かだが確信に満ちた声で言った。

「あります」

父が黙っていると、母が励ますような口調で言った。

「みんなにはあなたが必要なんです」

いったいみんなとは誰なのだろう。子供心にさまざまなことを考えたがわからなかった。これまで、父と母の会話の中に、家族四人以外の誰かが出てきたことは一度もなかったからだ。

長い沈黙のあとで、ようやく父が口を開いた。

「私は死んだ」

「生きています」

「死にそこなっただけだ」

「それは、生きよ、という……」

母が言いかけると、父はさえぎるように言った。

「死ぬべきだった」

父はどんなときにも声を荒らげたことがない。私や妹が何をしても怒ったことがない。どんなときでも、ほんの少し口元を和らげ、微笑しながらひとこと、ふたこと言うくらいしかしない。だから、父がそのような強い感情のこもった言葉を発するのを聞くのは初めてのことだった。

「いえ、戻って、生きているところを見せなくてはなりません」

母が毅然《きぜん》とした口調で言った。

「無駄なことだ」

「みんなにはあなたの言葉が必要なんです」

「もう……私にできることはない」

父の言葉には子供心にも胸をつかれるような無力感が漂っていた。

「いえ、最後にしなくてはいけないことがあるはずです」

また父は黙り込んだようだった。だが、しばらくして、父が言った。

「……ない」

すると、母が体の奥から絞り出すような声で言った。

「みんなを残して……卑怯《ひきよう》です」

あるいは、母は泣いていたのかもしれない。卑怯です、という言葉の語尾がかすかに震えているようだった。

そのとき、私はどうしても尿意が我慢できなくなってしまった。そっとベッドを降り、そっと襖《ふすま》を開けたつもりだったが、居間に出ると、母が部屋から出てきて、どうしたの、と訊《たず》ねた。私は、おしっこ、と言いながらトイレに駆け込んだ。出てくると、母がベッドまでついてきてくれ、布団《ふとん》を掛けてくれながら、よく眠るのよ、と言った。母が部屋を出て行ってからも、しばらくは闇《やみ》に眼をこらして隣の部屋の声に耳を澄ましていたが、もう父と母の会話は聞こえてこなかった。

母が妹を連れて家を出たのはその二年後だった。母が父に向けて発した最後の言葉は「わたしは行きます」だった。母と妹はたぶんあそこに行ったのだろう。だが、私は弁護士に何も言わなかった。あそことはどこかと訊ねられても答えようがなかったからだ。

家の始末はその弁護士がすべてやってくれた。父の遺体の処理。血塗られた借家の弁済。家具の処分。そうしてわずかに残った現金は私名義の預金通帳に入れられ、父の遺骨と共に蜜柑《みかん》箱ほどの大きさの段ボールに詰められた。そこには、もうひとつ、父が読んでいた黒い革の本も収められているはずだった。弁護士に家の中のものをどうするか訊ねられ、すべて破棄してくれと頼んだあとで、その黒い革の本だけを残しておいてもらったのだ。

段ボールは弁護士の事務所に保管され、私が少年院を出て、ひとり暮らしを始めるときに渡してもらった。弁護士は中を改めたらと勧めてくれたが、私はガムテープが貼《は》られたままの状態で段ボールを受け取った。その段ボールは引っ越しをするたびに持ち運んだが一度も開けたことはなかった。

父は間違いなく何かから逃げていた。それが何なのか私にはまったくわからない。

もしかしたら、父は結婚してはならない人だったのではないかとも思う。それを母と結婚したために隠れ住まなくてはならなかった。とすれば、駆け落ちのようなことをしたのだろうか。しかし、それはあまりにも時代がかりすぎている。あるいは、不倫というようなものだったのだろうか。いや、それもありそうにない。母にその種の暗さはなかった。父に対して心を配らなければならない何かがあったとしても、自身に後ろ暗いところがあるようには見えなかった。母は静かだったが明るかった。

あるいは、父は何らかの犯罪をおかしていたのだろうか。それが最もありそうなことだったが、あの父がどんな犯罪に関与できたというのだろう。私にはまったく想像がつかなかった。それに、もしそうなら、私が事件を起こしたあとで、父の身元がわかった段階で何かが知らされるはずだった。そのことと私の殺人との関係が考慮されないはずがない。だが、弁護士はそうしたことについて何も言わなかった。母と妹の行方がわからないという以外に家族のことに触れたことはなかった。

父は何かから逃げていた。父の前半生について私はまったく知らないが、逃げてきた場所はあそこだという気がする。母と妹が向かったあそこだ。しかし、たとえどこにいようと、父はひとりで生きていくべき人だったのではないかと思う。にもかかわらず、何らかの禁忌を破って私たちと一緒に暮らしはじめてしまった。

私もひとりで生きていくべき人間なのかもしれない。なぜかはわからないが、そうなることはあらかじめ決められていたような気もする。少年院を出てからの私はまさにひとりで生きてきた。だから、妻や娘がいなくなっても、また元に戻ったというだけなのだ。ひとりで生きるのはさほど難しいことではない。

そういえば、あの男も、女のような格好したあの男も、ひとりで生きていた。いまもひとりで生きているのだろうか。いまも夜な夜なプラカードを掲げてネオンの街に立ちつづけているのだろうか。あの男が本当にボクサーであったかどうかはわからない。しかし、男性的で屈強な肉体を持っていたことは確かだ。その肉体を裏切って男を求めざるを得なかったが、その欲求をほとんど満たすことができないまま、どぎつい化粧をし、派手な衣装を着つづけていた。あの男の人生とはどんなものなのだろう。あの男は、あの日、ほんとうに私に殺されることを望んでいたのではないだろうか。ほんとに死にたかったのではないか。

「お願い、助けて！」

あのときのあの男の言葉には絶望的な真実味があった。その言葉のとおり殺してやることが助けることだったのかもしれない。だが、私は男を殺さず、父を殺してしまった……。

いや、そうではない。男は私に助けを求める前にこう言わなかったか。

「行かないで。行っちゃだめ。行くとあんたは……」

行くと私はどうなると言いたかったのだろう。もしかしたら、あの男は私が誰かを殺すことになるのを予感していたのではないだろうか。男への怒りが私自身に対する怒りに変わってそれが暴発する。あの男は私の内部に埋め込まれた起爆装置のタイマーに、スイッチを入れてしまうことになるのがわかっていたのではないか。「お願い、助けて！」という男の最後の言葉は、私が殺すだろう人物に対する命乞《ご》いだったのかもしれない。

だとすれば、私はあの男に操られるようにして父を殺してしまったことになる！

4

地下を出た電車は地上の駅のプラットフォームに静かに滑り込んだ。そこで多くの客が降り、また多くの客が乗り込んできた。

窓の外には冬の空が広がり、赤く焼けはじめた雲が夕暮れの気配を濃く漂わせている。

その駅が他の線との乗換駅にあたっているためだろうか、電車はいくらか長めに停車したあとで、プラットフォームをゆっくり離れていった。

駅を出ると、都県境の河を渡りはじめた電車の車輪から、ゴトゴトという橋げたの音が伝わってきた。そのリズムが、ひとつひとつの記憶をさらに鮮やかなものにさせる。

電車は次の駅に到着し、一分足らず停車するとドアが閉まり、また出て行った。そのとき、いったん走りはじめた電車に急ブレーキが掛かった。立っている乗客はよろめき、席に坐《すわ》っていた私も体が大きく横に揺れ、肩が隣の男性の肩に強くぶつかった。

その瞬間、不意に、父を刺したときの情景が甦《よみがえ》りそうになった。「違うっ！」と叫んでぶつかるようにナイフを突き出した直後のことだ。

どうしよう、と私は迷った。

以前のようにその情景を遠ざけてしまうのか、それとも記憶の断片に手を差し伸べる努力をしてみるのか。無理をすると頭が痛み出すかもしれない。場合によっては鑑別所にいたときのように失神してしまうかもしれない。

だが、その懸念《けねん》を、何が起きてもかまわないという凶暴さが押しのけた。私は急ブレーキの理由を説明しているらしい車内放送のアナウンスを遠くに聞きながら、内部で甦るものを荒々しくたぐり寄せはじめた。

そうだ、体当たりをするようにぶつかったとき、父は二、三歩よろめきながら、意外に強い力で踏みとどまった。そして、両手が私の肩にまわされた。それは倒れそうになり、とっさに支えを必要としたためだったろうか。

いや、そうではない。

父が私の肩にまわした手の感触が甦ってきた。暖かくも冷たくもない大きな父の手のひらがワイシャツを着た私の肩を摑《つか》み、次の瞬間、滑るようにまわされて背中を包む。そして、その手が私の背中を強く抱き寄せる。そうだ、私は父に強く抱き寄せられたのだ。それがさらに父の体にナイフを食い込ませることになった……。

その勢いが激しかったため、いったんは踏みとどまっていた父がよろめき、襖《ふすま》にぶつかり、私も一緒に父の部屋の中に倒れ込んでしまった。ナイフはなんの抵抗もなく父の体の奥深くに食い込んだ。

すぐに起き上がると、ナイフは父の胸に深々と刺さっていた。あわてて引き抜くと、茶色のシャツが黒く濡《ぬ》れ、すぐに赤い血が襖に流れ出した。

それから私はどうしたのか。

そうだ……それから私は電話を掛けたのだ。玄関の下駄箱の上に置かれている受話器を摑み、ダイヤルをまわした。一一〇番と一一九番のどちらに掛けようか迷ったが、一一九番に掛けた。

「すぐ来てください」

しかし、私はなぜかもう父が助からないことを知っていた。父の部屋に戻ると襖一面に血が溢《あふ》れ、溶接の炎に浅黒く焼けた父の顔が青白くなっていた。私は立ち尽くしたまま、父の姿を見下ろした。仰向けになり、両手を左右に投げ出した父の姿は、まるで襖に磔《はりつけ》になっているかのようだった。

そのとき、またあの音が聞こえてきたのだった。廃墟《はいきょ》の柱がカラーン、カラーン、カラーンと音を立てて倒れつづける。柱の倒れるその寂しい音を聞きながら私は思っていたのだ。そうか、ここがあそこだったのか、と。

二十年前に父の手のひらが当たったはずの肩のところがカッと熱くなってきた。そして、ある驚きとともに閃《ひらめ》くものがあった。

もしかしたら、父はナイフをむしろ迎え入れたのではないか。刺されることを、殺されることを望んでいたのではないか。

なぜ？

なぜなら、それが私のナイフだったからだ。私のナイフは……父のナイフだったからだ。

そのとき、私は父が逃げていた理由がうっすらとわかったような気がした。父はいつかどこかで父自身を殺したのだ。誰かのために自分自身を殺した。だが、何らかの理由で死ねなかった。だから、いつかどこかで本当に死ななくてはならなかったのだ。誰のためのものでもない自分自身の死を死ぬために。

父はあの男によって死をもたらされたのではなかった。父は、ただ父の死を死んだだけだったのだ……。

ふと、私に砂漠が見えてきた。強烈な太陽が照りつけてはいるが、さらさらとした砂が舞う砂漠ではなく、赤ん坊の頭ほどの石がゴロゴロする荒れ野だ。

これは、いつか、どこかで見たことがある。赤ん坊の頭ほどの石……そうだ、少年院でよく見た夢の中に出てきた荒れ野にそっくりだ。

砂漠には風が吹いている。土埃《つちぼこり》の舞う中、私はそこに立って地面の一カ所をじっと見ている。やがて、私は四《よ》つん這《ば》いになると、そこを手で掘り返しはじめる。土は固いが、私は必死に土を掘っていく。掘って掘って掘りつづけた果てに、ようやく人がひとり横になれるくらいの穴ができる。しかし、私はそれでもまだ満足せず掘りつづける。

私は何をしているのだろう。人を埋葬するための墓穴を掘っているのか。それならもう充分ではないか。

爪《つめ》のあいだから血が吹き出してくるのもかまわずなおも掘っていくと、地中から白い布に覆《おお》われた人の体が出てくる。顔の上に掛かった布を取り除くと、そこに眼を閉じた父の顔が現れてくる。額に手を当てるとかすかに温かみが感じられる。私は父の体の上に掛かった土をすべて取り除く。すると、父は眼を開けてゆっくりと立ち上がり、私にひとことも言葉を掛けないまま、白い布を風になびかせながら歩き出す。石の転がる荒れ野を真っすぐに歩いていき、やがて父の姿は砂漠の彼方《かなた》に消えていく。

ひとり残された私は、父が葬《ほうむ》られていた穴の前に茫然《ぼうぜん》と立ち尽くし、涙を流しはじめる。涙はそれが私の一生分の涙だとでもいうようにとめどなく流れつづける。

私が少年院で見ていた夢は、これの最後の情景だったのだ。確かに足元に大きな穴があいていた。しかし、その穴はこれから誰かを埋葬するためのものではなく、すでに埋葬に使われたあとのものだったのだ。

夢の中ではこの先の情景を見ることは一度もなかった。いったい私はそれからどうすることになるのだろう……。

やがて、涙は涸《か》れる。すると私は父が葬られていた穴に足を踏み入れ、静かに横たわる。その穴は、私のために掘られたかのようにぴったりの寸法をしている。空が青い。その青さを網膜にしっかりと焼きつけると、私は瞼《まぶた》を閉じる。聞こえるのは風の音だけだ。その風に意識をのせて空中をたゆたっていると、しばらくして何かが体に降りかかってくる。雪でもなく、花でもなく、どうやらそれは土らしい。やがて私の体は土に埋まり、最後の土が顔の上にかぶさってくる。そして、眼の前が暗くなる。

そうだったのだ……。

スピードを増した電車は民家の密集した地域を抜けると、しばらくのあいだ大きく傾いた夕陽に向かって走ることになった。

この先の駅にある私のマンションには誰もいない。日が暮れても電気のつかない部屋としてぽつんとある。三カ月もそこに帰りつづけていたが、今日はその空虚さがあらためて胸に滲《し》みてくる。空っぽの家の空っぽの夜。だが、もちろん、離婚したことを後悔はしていない。娘に会えないことも、もう二度と誰かと暮らすことがないだろうことも。

いま住んでいるマンションは売り払い、それで得られた金はすべて妻に渡すつもりだった。私はどこかにアパートを借りて暮らすことになるだろう。コンクリートでできた一間か二間のアパート。それは私がかつて父と暮らしていた部屋のようなところかもしれない。崖《がけ》にくり抜かれた修道僧のための石窟《せっくつ》のような小さな部屋。そこでひとり暮らす。もし、母と妹が出て行ったときに、私も一緒に出て行ったなら、父も同じようにひとりで暮らすことになったはずだ。そうすれば、私に殺されることもなかった。だが、ひとりで食事をし、本を読み、眠りにつく日々というのは、コンクリートでできた棺《ひつぎ》の中の生活と同じだったかもしれない。それもまたひとつの死だったろう。私は父の死を早め、確かな死を与えた。たぶん、それこそが父親に対して息子ができる唯一《ゆいいつ》のことだったのだ。

いつか、あの段ボールを開けることがあるかもしれない。そして、そこに入っているだろう父の黒い革の本を読みはじめる。線と点とでできた暗号のようなその文字を眺めているうちに私にも意味がわかってくる。なぜなら、それは私の知っている言葉であり、かつて話していたはずの言葉だから。いま使っているこの言葉のように、頭の中で組み立てなくても話せるはずの言葉だから。それは、たぶんあそこを指し示すことになるのだろう。だが、たとえそこがどこかわかっても、私は行かないだろう。父が行かなかったように、私もその黒い革の本を読みながら、父が、そしてもしかしたら私が埋葬されていたはずのその場所を、夢に見るだけなのだろう……。

それでいい。

そう、すべてにおいて後悔はしていない。もし私に後悔することがあるとすれば、私には私を殺してくれる私がいないということだけだ。

電車の窓から差し込んでくるザクロのような赤みを帯びた光に、顔を上げている乗客はみなまぶしそうに眼を細めていた。その眼は、まるで夕陽に赤く濡れているようだった。そのとき、私の眼も赤く濡れていたのだろうか。夕陽が眼にしみるようにまぶしかったから、たぶん私の眼も濡れていたのだろう。血のように、赤く。

後記

この『血の味』という作品は、十五年前に書きはじめられ、十年前にほぼ九割方書き終えていたものである。しかし、自分で書いていながら、そこに書かれていることの意味が充分に理解できないため、最後の一割を残して放置されていた。あるいは、そのまま永遠に完成されることはないのかもしれないが、それはそれで仕方のないことだと思っていた。

ところが、今年の春、仮に『無名』と名づけた長編を書いている途中で、突然、『血の味』に何が書かれているか、何を書こうとしていたのかがはっきりとわかる瞬間が訪れた。

そこで、『無名』を一時中断し、十年ぶりに『血の味』を読み返してみると、残りの一割に何を書けばよいのかが明瞭《めいりよう》に見えてきた。それから第一稿を完成するまではほとんど一カ月しかかからなかった。

すべてを書き終えたとき、この十年の間、どこか気に掛かりつづけていたものが手を離れ、体が軽くなるのを感じた。私には、間違いなく、軽くなったものがあったのだ。

二〇〇〇年九月

沢木耕太郎

「死」の蠱惑《こわく》の決算

富岡幸一郎

編集部注・本解説ではストーリーのラストが紹介されています。本文未読の方はご注意下さい。

『血の味』を最初に読んだのは、二〇〇〇年十月に、新潮社の「純文学書下ろし特別作品」として刊行された直後だった。新聞社からこの本の書評を依頼されていたこともあり、二度くりかえして通読した。そのときの、いわくいいがたい鮮烈な読後感は、今もよく覚えている。

中学三年生の十五歳の少年が、いつも自分のポケットにしのばせていたナイフで、ある日突然、殺人を犯す。それは、ほとんど衝動的な犯行であった。少年院を出てからの彼は努力して大学に進み、会計士の資格を得て、家庭を持つ。しかしその後、離婚し再び孤独な一人の生活を送る。過去の犯罪を記憶の底に封印しようとしてきた主人公は、あるきっかけで、中学三年のときの「私」に戻る……。

ストーリーはとりたてて複雑ではない。元プロボクサーを自称する女装の男の話も、少年の生活環境も、それ自体特別に奇妙なものではない。が、しかし、この小説の底には、不思議な謎《なぞ》が、ある戦慄《せんりつ》の感覚をともなって潜んでいるように感じられてならなかった。

だから私は書評の冒頭にともかくこう書いたのである。《「中学三年の冬、私は人を殺した」という一行ではじまるこの小説は、昨今の少年犯罪を連想させるが、かならずしも現代の社会的事件を反映させようとした作品ではない》（「日経新聞」二〇〇〇年十一月二十六日朝刊）

単行本の「後記」に著者は記しているが、本書は十五年前に書きはじめられ、十年前には九割方書き終えていたという。つまり一九八五年には起稿され、九〇年頃にはほぼ出来上っていたことになる。また、作中の少年の犯行時の時代設定は、おおよそ一九六〇年代後半から七〇年代であろう。

ただ私がいいたかったのは、作品の時代設定から、この小説が「現代の社会的事件を反映」させようとしたものではない、ということではなかった。九〇年代から日本社会においても顕著となった、異常な少年犯罪のアクチュアリティをとらえようとするならば、著者としては別な書き方があっただろう。『血の味』が、著者の最初の小説作品として書かれたのは、社会的事件や時代の状況をここに映し出そうとしたというよりは、むしろフィクションという表現でしか決着をつけられなかった、作者自身の「内部」のある本質的な問題に取り組もうとしたからではなかったか。そして、そのことは、沢木耕太郎のノンフィクションの作品群とはまた異った（しかし根底ではつながる）、独特な味わいと感触をこの作品に与えている。

書評の限られた紙面では、それを正確に指摘することはできなかったが、今回改めて読み直してみて、この小説のもつ深さと、著者にとっての重要性に気付かされた思いがする。さらに先回りしていえば、この小説は、著者のノンフィクション系列の作品を読むときに、今一度新しい光を当てることになるのではなかろうか。

ところで、十年前に九割方書き終えた作品を放置していたのはなぜか。著者はいう。

《……自分で書いていながら、そこに書かれていることの意味が充分に理解できないため、最後の一割を残して放置されていた》（「後記」）

してみれば、本書の第六章は、その「最後の一割」であり、ここにこそこの小説全体の秘密があるといってよい。

五章まで読んできた読者は、少年が風呂《ふろ》屋で出会った元ボクサーというオカマへの嫌悪《けんお》と怒りから、その男にナイフを向ける心理は理解できるが、その後に帰宅して、唐突に父親に刃《やいば》をなぜ向けたのかは、にわかにはわからない。いや、周囲も少年自身すらも、なぜ父親を殺したのかわからないのだ。

《男は殺したいと思った。だが、父を殺したいとは思わなかった。それなのに偶然が父の命を奪ってしまった。すべては偶発的な事故だったのだ。そう考えることができないわけではないが、私を納得させはしない。あれは偶然ではなかった。たぶん、私は父を殺さなければならなかったのだ。しかし、なぜ私は父を殺さなければならなかったのかということになると不意に曖昧《あいまい》になってきてしまう》（傍点引用者）

「私」にとっては、その一瞬からの、「偶発的な事故」とも受けとめられる犯行時からの二十年という歳月は、どうしても必要なものであった。なぜなら、少年は自らの「殺意」の正体を知るために、その後の「人生」の時間を生きたからだ。そして、「私」がついに辿《たど》り着いたのは、「あそこ」である。それが第六章で浮かびあがってくる。

小学生のとき、「私」は深夜にとなりの部屋から聞こえてきた両親の会話のなかに、その謎の言葉を聞く。ほとんど口争いをしなかった母は、そのとき強い口調で父にこういった。「あそこに戻りましょう。みんなが待っています」と。「私」は「母の言うあそことはどこなのだろう」とボンヤリと思う。何処《どこ》か田舎のようなところなのか。

以前に住んでいたところなのか。二年後、母が妹を連れて家を出て行ったとき、「私」はふたりが「たぶんあそこに行ったのだろう」と理由もなく思う。

父を殺してからの「私」は、その「あそこ」が何処であり、何んであるかをさがしもとめてきた。それがわかれば、「私」は中学生であった自分がなぜ兇行《きょうこう》に走ったのか、どうして父親を殺さねばならなかったかが明瞭《めいりょう》になる。そして、今それがあきらかになったのだ。父が逃れてきた「あそこ」は、しかし実は少年自身をも、無意識のうちに突き動かしてきたものではなかったのか。

それは「私」が走幅跳びのときに、その宙に浮いた身体が垣間見《かいまみ》た、戻ることのできない世界である。それは、少年が夢見ていた、自らの肉体が一瞬のうちに吸いこまれるような「永遠」ではなかったか。あの瞬間に恐怖を感じて跳べなくなった少年は、その「あそこ」に向かう感覚から逃れて、別のものをさがさなければならなかった。

《夕方、部活の帰りにひとりで歩いていたりすると、胸に言葉にならない思いが込み上げてくる。時に、それはあまりにも激しすぎて肉体的な痛みと区別がつかなくなる。すると、私は決まってポケットに手を突っ込み、ナイフをきつく握りしめるのだ》

少年のナイフは、彼の精神の安定を保つための錘《おも》りであった。その錘りのバランスが崩れたとき、跳躍が少年の肉体を震わすように「殺意」が爆発する。二十年の歳月は、しかし父にとっての、そして自分にとっての「あそこ」が何処であったかを、その正体を告げる。

《二十年前に父の手のひらが当たったはずの肩のところがカッと熱くなってきた。そして、ある驚きとともに閃《ひらめ》くものがあった。／もしかしたら、父はナイフをむしろ迎え入れたのではないか。刺されることを、殺されることを望んでいたのではないか。／なぜ？／なぜなら、それが私のナイフだったからだ。私のナイフは……父のナイフだったからだ。／そのとき、私は父が逃げていた理由がうっすらとわかったような気がした。父はいつかどこかで父自身を殺したのだ。誰かのために自分自身を殺した。だが、何らかの理由で死ねなかった。だから、いつかどこかで本当に死ななくてはならなかったのだ。誰のためのものでない自分自身の死を死ぬために》

「あそこ」とは「生きる」ことが完全に燃焼する場所であり、ほとんど「死」と交錯する煌《きら》めきの一瞬である。少年は跳び、宙に浮いた、その瞬間に確かにこの「死」を体験したのだ。それはまさに「体の奥深いところから湧《わ》いてくるはっきりとした恐怖だった」。それはまた、少年にとっての絶対であり、まぎれもない永遠の感触だった。具体的なことは何も書かれてはいないが、少年の父親も何処かでこの生と死の交錯の一瞬を体験し、そして何らかの理由で、そこから「逃げて」来たのであろう。父親はだからこそ、自分が味わったその一瞬に殉じることを、つまり「自分自身の死」を待っていた。彼にとっては「死」ぬこと以外に「あそこ」に帰ることはできなかった。少年は、そのことを当時理解する余地もなかった。ただ無意識に、本能的に感じて、ナイフを突き立てただけだ。しかし、今は違う。「私」は父と自分にとっての「あそこ」をはっきりと見ることができる。父は「私」に殺されることで、「あそこ」へと帰郷できたのだ。そして「私」には、その道はとざされている。

《そう、すべてにおいて後悔はしていない。もし私に後悔することがあるとすれば、私には私を殺してくれる私がいないということだけだ》

この小説を再読して、これがいわゆる衝動殺人や少年犯罪をテーマにしているのではなく、作者自身のなかに永らくひとつの執着、オブセッションとしてあった「あそこ」を、フィクションの形式を借りてあきらかにしようとした作品であると改めて思った。その「あそこ」とは、東洋ミドル級の王者であったボクサー・カシアス内藤を描いた『一瞬の夏』のなかで、作家ノーマン・メイラーの一文から引かれた——「超越的なものへの飢餓感」という言葉に相通じるものであり、また浅沼社会党委員長を刺殺した右翼少年・山口二矢《おとや》を描いた出世作『テロルの決算』のモチーフにも響き合うのである。

『テロルの決算』の文庫版（文春文庫一九八二年）のあとがきで、沢木耕太郎はこう書いている。

《いま思えば、私に『テロルの決算』を書かせた最大の動因は、私自身の、夭折者《ようせつしゃ》への「執着」に近いまでの関心にあったような気がする。当時も、夭折という語にこそモチーフを明らかにする鍵《かぎ》がひそんでいると考えないでもなかったが、答はその周辺をぐるぐる回るだけで、なぜか私自身の「執着」という一点にだけは向かわなかった》

おそらく、作家自身の内部のこの「『執着』という一点」に向かうには、『血の味』の主人公が二十年という時を要したように、作家にとっても永い時間、「書く」歳月が必要とされたのであろう。その意味では、この作品は沢木耕太郎のフィクションと単純に呼ぶよりは、誤解を恐れずにあえて「私」小説といいたいほどである。

最後にもうひとつ。作中に「私」が、自分にリンチを加えた少年院のチンピラ仲間の主領の鼻の穴に箸《はし》を突き刺して、低く叫ぶ場面がある。凍りついたように動けなくなった周囲の連中に、「私」はこういう。

《「おまえたちのやったことは言わないでおいてやる。でも、こんど俺に手を触れたら、黙って殺すぞ。こんなところにだって、殺し方はいくらでもあるんだ」》（傍点引

用者）

この言葉は、『テロルの決算』の拘置所内の山口二矢の次のような科白《せりふ》をただちに連想させる。取調べの途中で、差し入れのリンゴに虫が喰っているのを見た二矢少年は、係官に「ナイフを貸してくれませんか」という。房内で容疑者が自殺するのを恐れた係官は、狼狽《ろうばい》して、それは駄目だと思わず大声で叫ぶ。

《すると二矢が笑いながらいった。／「心配しなくても平気ですよ、死のうと思えばいつだって死ねるんですから」》（傍点引用者）

「殺す」ことと「死ぬ」こと。『血の味』の少年は、そしておそらく山口二矢も、このふたつの決定的な行為が、夥《おびただ》しい血潮のなかで、「永遠」に接しながら、背中合わせになっていることをよく知っている。作者はこの絶対的なるものがかもし出す、残酷な兇々《まがまが》しい魅惑を、まさにこの作品で〝決算〟してみせたのだ。

（二〇〇三年一月、文芸評論家）

この作品は平成十二年十月新潮社より刊行された。

血《ち》の味《あじ》

新潮文庫　さ－7－14

平成十五年三月一日発行

著者　沢《さわ》木《き》耕《こう》太《た》郎《ろう》

発行者　佐藤隆信

発行所　株式会社新潮社

郵便番号　一六二－八七一一
東京都新宿区矢来町七一
電話 編集部(〇三)三二六六－五四四〇
読者係(〇三)三二六六－五一一一

価格はカバーに表示してあります。

乱丁・落丁本は、ご面倒ですが小社読者係宛ご送付ください。送料小社負担にてお取替えいたします。

印刷・株式会社精興社　製本・株式会社植木製本所

ISBN4-10-123514-7 C0193